O COACH DO FODA-SE

Copyright © Eduardo Camargo, 2019
Copyright © Filipe Oliveira, 2019
Copyright © Editora Planeta do Brasil, 2019
Todos os direitos reservados.

Organização de conteúdo: Marília Chaves
Preparação de textos: Fernanda Guerriero Antunes
Revisão de textos: Vanessa Almeida e Departamento editorial da Editora Planeta do Brasil
Diagramação: Felipe Romão
Capa: Eduardo Foresti/Foresti Design

Dados Internacionais de Catalogação na Publicação (CIP)
Angélica Ilacqua CRB-8/7057

Diva Depressão
  O coach do foda-se / Diva Depressão. -- São Paulo: Planeta, 2019.
  160 p.

ISBN: 978-85-422-1817-6

1. Não ficção 2. Humor 3. Paródia - Humor I. Título

19-2239   CDD B869.3

Índices para catálogo sistemático:
1. Não ficção - Humor

2020
Todos os direitos desta edição reservados à
EDITORA PLANETA DO BRASIL LTDA.
Rua Bela Cintra, 986 – 4º andar
01415-002 – Consolação
São Paulo-SP
www.planetadelivros.com.br
faleconosco@editoraplaneta.com.br

O COACH DO FODA-SE

DIVA DEPRESSÃO

Uma estratégia pra você parar de se importar!

OUTRO Planeta

SUMÁRIO

Introdução quântica 13
Qual é o seu nome de coach? 18
Todo mundo trabalha 20
Diário graticu 24
Estabeleça metas.....................................28
Escala Mendigo 32
Currículo *high-stakes*................................36
A dinâmica de grupo 38
Seja o bitcoin..42
Simpatia quântica....................................46
Se nada mais der certo, você pode ser blogueira 50
"Quem mexeu na minha marmita?" 54
No ônibus | Que diva você é no transporte público?....58
Sugar daddy e sugar baby 64
Não existe gente feia, existe gente ~~pobre~~ com
poucos recursos 70
Saúde só parece bom quando a gente perde 74

Amar é fácil, difícil é você 78
Método Rihanna de relacionamentos 82
Os contos do embuste 86
Algum critério não ia te fazer mal 90
Relacionamento é uma forma de investimento 96
Coach não tem amigo, só networking................. 102
Nem tudo que responde WhatsApp é amigo,
já dizia o sábio... 106
Coach é a sua mãe 110
Expanda a sua consciência... para a realidade.......... 114
A virada dos 30... 116
Como faço para virar coach? 120
Na internet a gente é diferente 122
O fracasso é a instituição democrática mais
forte do Brasil.. 124
Faça uma imersão de #terraplana 126
Como fazer seu primeiro milhão juntando seu VR..... 130
O horóscopo do f*da-se 132
VodkaHealing... 136
O que você vai postar hoje para ganhar biscoito? 140
O tubarão investidor 144

Gratitop 148
O Megazord da família tradicional brasileira 152
O sucesso é feito de números 156
Um foda-se final 158

"Não seja pau no c*."

Provérbio chinês

Este livro contém altas doses de ironia, de sarcasmo e de humor ácido.

INTRODUÇÃO QUÂNTICA

A sua avó já dizia que se conselho fosse bom, não era de graça. E daí veio algum empreendedor sem empresa, ouviu esse ditado, teve um *insight high-stakes*[1] e adaptou essa ideia, achando que a inovação do século é cobrar conselho. Surge o coaching.

Vivendo nesse zoológico chamado internet, vira e mexe a gente tromba com algum coach. Porque, na internet, o que não falta é alguém pra dizer como você deveria estar fazendo as coisas. E existe coach de todo tipo: financeiro, fitness, evangélico; de sexo, organização, produtividade, relacionamento. Existe coach de criança. Existe coach para fazer dormir, como se não fosse um talento natural de quem escolhe essa carreira. Não dá pra abrir um vídeo sem ser assaltado por alguma propaganda de coaching, pois tudo indica que a gente perdeu o controle da nossa vida. Então, vamos levar a afirmação da sua avó para outro nível: se coaching fosse bom, não cagaria regra na sua vida. Ou o nome seria psicoterapia (a gente ama vocês, psicólogos). A gente fala mesmo!

A gente se sente confortável ao falar mal de tudo de coaching, porque é meio parecido com youtuber e blogueira.

---
1 Tradução: fumou um e tava bem louco e desesperado.

É carreira de quem não deu certo na vida. Pergunta para a nossa família. E, acredite, a gente já trabalhou muito em emprego que tinha mais desaforo do que salário. Hoje tem mais salário; permanece o desaforo. O Filipe já foi operador de telemarketing raiz, daqueles que não têm plano de crescimento dentro da empresa. Sabe aquela mocinha da telefonia com quem você, bem descompensada, dá uns gritos porque a sua conta veio toda errada (você pagou, mesmo assim não caiu e agora seu nome tá no Serasa)? Pois é, essa mocinha um dia pode virar youtuber e ser xingada de novo na caixa de comentários. #propósito #missão

Enquanto isso, o Edu já é praticamente formado em coaching porque iniciou sua carreira de blogueira ao passar anos trabalhando em editora de autoajuda. Ele era designer e vivia de fazer capa pra *coaches*. Fazer anúncio. Fazer campanha. Tudo para ensinar alguém a finalmente conseguir acordar cedo. E não é nada proativo o jeito como eles reagem quando a arte não sai da cor que eles querem. (Refação, aliás, é coisa de pau no c*. Que isso fique registrado.)

A questão que mais revolta quando você vê *coach* nas redes é que aparecem aqueles *stories* patrocinados do Instagram pra dizer que na verdade tudo é culpa sua. O país em recessão. Milhões de desempregados. Número 1 em ansiedade no mundo. Você aí com a marmita de arroz com ovo na bolsa, 27 reais pra terminar o mês, e a pessoa fazendo vídeo no Instagram para dizer que ser milionário é só uma questão de *mindset*,[2] e pedindo para que você compre o cursinho dela pra saber o investimento certo? O boy te enrolando há mais de dois anos, falando que não tá pronto pra namorar, e a coach dizendo que é porque você não mentalizou um jardim de flores de amor com a cara dele no meio de cada rosa? A gente fica é louca com a falta de noção desse povo.

Desde os tempos iniciais do *Amiga, deixa de ser trouxa!*, a gente recebe muito os problemas das pessoas e se mete na vida delas. Não tem técnica. Não é coaching. Vamos reforçar mais uma vez: a gente não tem formação, autoridade, credibilidade ou sequer moral para falar da vida dos outros. E é por isso mesmo que não custa nada assistir a gente dar conselho no YouTube. ZERO REAL. E é por esse mesmo motivo que este livro é baratinho (mais barato que uma ida ao cinema com

---

2   Mindset quer dizer "pensamento", só que com menos letras, economizando espaço e parecendo mais chique por estar em inglês.

pipoca) e você tá lendo encolhida no transporte público, fingindo que é do Dalai Lama. Mas podia ser pior. Podia ser *Cinquenta tons de cinza*.

    Na grande parte do tempo, viver é um mico. Um absurdo. É pros fortes. Sendo assim, ninguém pode cagar regra na sua vida; pode, no máximo, fazer piada dela. E isso, deixa com a gente. Coaching consiste em pagar pra alguém (que teve muito menos sucesso na vida que você) ficar cagando regra nos seus problemas. É quase como contratar uma blogueira pra ficar dando opinião. Já que tem tanta gente fazendo isso, decidimos pegar a nossa experiência de ~~sucesso~~ fracasso e dar um pouco de sabedoria para quem não quer mudar de vida radicalmente, nem enriquecer, nem conquistar todos os homens. Este livro é pra quem quer **ficar de boa**. Porque você precisa viver sem cagação de regra.

Você não precisa de coach. Você precisa de FODA-SE.

QUAL É O SEU NOME DE COACH?

(Faça o teste e descubra.)

Mês

Janeiro – Master
Fevereiro – Trainer
Março – Mestre
Abril – Leader
Maio – Advisor
Junho – Business

Julho – *Practitioner*
Agosto – Reprogramador
Setembro – Idealizador
Outubro – Palestrante
Novembro – Maker
Dezembro – Changer

Dia

1 – Quântico
2 – Reflexivo
3 – Empresarial
4 – Vibracional
5 – Mental
6 – Fitness
7 – Amoroso
8 – Cocriador
9 – Investigador
10 – Dançante
11 – Extraordinário
12 – Meditativo
13 – Infinito
14 – Secreto
15 – Milionário
16 – Empreendedor

17 – Energético
18 – Definitivo
19 – Ativista
20 – Emocional
21 – Multiplicador
22 – Holístico
23 – Reconectivo
24 – Neurolinguístico
25 – Genético
26 – Cibernético
27 – Hipnótico
28 – Integrativo
29 – Sensato
30 – Mágico
31 – Zen

Cor da roupa

Branco – do milagre
Vermelho – da prosperidade
Azul – da expansão quântica
Preto – da black friday
Verde – dos sonhos

Marrom – das metas
Amarelo – das fadas
Rosa – da vitória
Roxo – do amor
Laranja – da beleza

TODO MUNDO TRABALHA

Essa é a conclusão mais sofrida a que chegamos, e demora muito para a gente entender isso. Porque trabalhar é a coisa obrigatória mais romantizada da nossa sociedade. Você não vê ninguém falando que ir ao dentista faz parte da sua missão de vida porque isso tem um significado maior. (Socorro! Acabamos de criar o coach odontológico.) Tomar banho, lavar roupa, fazer uma marmita, ir à manicura (ou manicoach, a coach de unhas decoradas de gel), nada disso é tão romantizado para dar sentido à sua vida quanto o trabalho.

No começo, você tem trampo para ajudar a pagar os estudos. Depois, pode ter ido fazer faculdade e começou a corrida pelo estágio. Detalhe: se você só trabalhou a partir do estágio, provavelmente é rica ou tem pais que sacrificaram a felicidade (dinheiro) deles para você, hoje, ser uma desesperada que acredita em coach.

A questão é que, quando a gente está relativamente jovem, trabalhar é aquela coisa de descoberta, de estar finalmente vivendo uma vida de adulto. Tudo é novo. Até almoçar fora de casa é uma aventura. Até a promoção de 10 minipães de queijo por 2 reais da estação de trem você acha maravilhosa, pois agora tem VR para pagar. Mas, apesar de isso ter cheiro de vida adulta, gosto de vida adulta e até algumas cores da vida adulta, não caia nessa. Não é a vida adulta. Vida adulta é quando você joga no Google os sintomas da tosse que já tem há cinco meses e trata do jeito que escreveram em qualquer fórum, porque é caro demais pagar um convênio (e pelo SUS você já sabe que é virose)! Vida adulta é aquele momento que você percebe que todas as suas buchas são suas mesmo, não tem para quem ligar... Mesmo porque ninguém iria te atender, pois sabem que quando você liga de madrugada é só pra reclamar do quanto sua vida tá uma bosta!

Agora, existe uma solução para todos os perrengues da vida adulta. Existe algo que qualquer coach vai te indicar quando você falar sobre a ansiedade extrema que sente a respeito do dia de amanhã. Você precisa de...

Uma rotina matinal

Você só se sente sufocada pela vida porque não acordou às 5 horas da manhã, viu o sol nascer e tomou um café com óleo de coco – porque a gente sabe que você é do tipo que mete óleo de coco em tudo que pode (inclusive, poderia ser o coco do óleo de coach... digo o óleo do coach de coco... ai, deixa pra lá) – pra ficar virada no Jiraya e sair para correr 15 quilômetros, voltar, fazer um suco verde, alongar, depois ver a mensagem do dia que Ana Maria passa para o Louro José, e fazer seu diário da gratidão e seu quadro dos sonhos com fotos de modelos em casas de 3 andares. Antes das 8 horas. Às 9 horas, você tá no trabalho fofocando pelo e-mail da empresa com a sua miga poc, contando que começou a dieta low carb, sem glúten, sem lactose, sem respirar, porque oxigênio dá gases.

Isso não vai resolver as coisas. A vida é pesada mesmo e CrossFit não vai resolver. Vai levar mais do que uma manhã de meditação quântica, e...

você não tem a menor obrigação de ser uma vencedora quando deveria estar apenas vivendo.

DIÁRIO
GRATICU

Todo coach manda você fazer um diário de gratidão (risadas ao fundo), escrevendo nele 3 coisas pelas quais você é grata todos os dias. Aqui, a gente quer que você registre 3 coisas que você gostaria mais é que explodissem. Diga os maiores desaforos que você ouviu esta semana (mas cuidado, porque este livro só tem uma página dedicada pra isso). Se tiver mais do que uma, melhor fazer como qualquer pessoa normal e abrir um Twitter. Ou, se for blogueira, pode fazer o famoso desabafo nos *stories*. Mas calma, pois o próximo passo pode acabar com o seu telefone parcelado em 12 vezes, que a gente sabe que trava, mas é melhor que nada, né?

Pegue tudo que é um c* na sua vida e escreva nesta página. De acordo com o Instituto DataDiva, isso vai mudar seu *mindset* para você parar de ser positiva e trouxa para ser guiada pelo ódio. Acredite, nós somos há anos. Funciona mais do que ficar imaginando cachoeira de arco-íris.

Depois disso, arranque a página, faça uma bola e ataque na pessoa que te irrita. Brinks, miga, ninguém aqui quer perder o emprego, né? Então, a gente sugere que você queime, jogue no mar, se livre disso. A gente até teve o cuidado de fazer a página de trás ESPECIAL para você mijar ou defecar (defecar é mais chique que cagar) em cima.

Gratiluz

ESTABELEÇA METAS

Quem nunca recebeu essa bela merda de orientação? Você mal começa a ler qualquer livro pra melhorar de vida e, de cara, já precisa entregar um plano de 1 mês, 6 meses, 1 ano e 5 anos.

CINCO ANOS

Daqui a cinco anos, tudo indica que todo mundo já desenvolveu um chifre de unicórnio no meio da testa de tanto agrotóxico que consumiu. Para ter noção de quão ridículo é você ter um plano de cinco anos, pense no que tava acontecendo na sua vida há cinco anos. O que você queria? Imagina se tivesse conseguido? Hoje, você estaria namorando o Dennis da vendinha do lado da casa dos seus pais e provavelmente teria virado crossfiteira. Ainda bem que a gente muda de opinião. Imagina se estivesse apegada num plano que fez há cinco anos e, ainda, se sentindo uma merda porque não conseguiu conquistar um negócio que nem tem a ver com quem você é hoje? Imagina nem perceber que não é isso que você quer, mas apenas uma coisa que você achou que queria? Sinceramente, f*da-se.

As melhores coisas que a gente consegue na vida fluem. Não são metas. O coach quer te convencer de que você não pode deixar a vida rolar, porque isso não é o *mindset* da realização. *Mindset* de c* você já sabe o que é, né, linda? A realidade que ninguém quer te contar, pois não dá pra vender, é que você não controla nada. Nadinha. Coisa nenhuma. Pode cair um temporal e levar a sua casa inteira. Seu ex pode ligar no seu primeiro dia no emprego e você vai se apresentar pro chefe com o rímel todo cagado. A vida é a onda que todo dia te dá caldo. Aceita. Para de fazer plano. Acorde tranquila para só viver o dia e vê o que acontece.

No tempo dos nossos pais, a meta era simples: sobreviver com o que tinha. A sua meta, então, levando em consideração os tempos em que vivemos, pode ser um pouco mais simples, tipo... tomar banho após chegar do rolê. E depois você faz a próxima. Quando a gente bater a meta, aí a gente dobra a meta – e se alguém cobrar, META a mão na cara do chato.

Namastrava pra você também.

A vida é a onda que todo dia te dá caldo. Aceita. Para de fazer plano. Acorde tranquila para só viver o dia e vê o que acontece.

ESCALA MENDIGO

Uma grande inovação tecnológica da era digital foi fazer qualquer trabalho ficar irrelevante num espaço de seis meses. Qualquer coisa que você ou qualquer outra pessoa inútil faça, uma máquina faz melhor. Inclusive, a qualquer momento você pode substituir seu namorado, que não sabe nem chupar uma pepeca direito (cadê os coaches de sexo oral feminino? Coachxana é o nome?), por um app que mostra todas as pessoas disponíveis e qualificadas (nem todas) para transar no seu bairro. Não... pera.

Basta trabalhar para ser desempregado no Brasil de hoje. Ou fazer 18 anos. Ou abrir um canal no YouTube. Ou abrir qualquer coisa de comer que sirva num *bowl*. Em um momento de crise, alguém vai te dizer que a vibe é ser inovador. Você pode chorar ou vender lencinho, meo. Então inove! Inove! Compre suas garrafas de água e vá vender no farol. Tem esse milionário que começou assim, olha. Você também pode inovar... e virar mendiga! Ou melhor, *homeless*, porque em inglês fica mais chique. Olha só, viver um estilo de vida minimalista, com posses estritamente necessárias, fazendo a Marie Kondo da Praça da República, só deixa a mantinha que te faz feliz.

A realidade motivadora é que, se você não tem para quem apelar na falta de dinheiro, viver na verdade é calcular suas ações pela maravilhosa Escala Mendigo. E estilo de vida minimalista é só pra quem tem dinheiro pra comprar tudo o que quer, pois se você jogar fora essa capinha de celular porque ela não te traz alegria ainda vai amargar 3 parcelas.

Enquanto você considera se joga fora suas coisas só para ter menos bagunça pra arrumar (resumimos Marie Kondo, de nada), já parou para pensar em quantos reais faltam para você virar mendiga? Pensa com a gente. Digamos que agora na conta você tem 200 reais, e perde o emprego amanhã. Em quanto tempo você vira mendiga? Um mês, uma semana, três dias ou duas horas? Se estiver no negativo, melhor já começar a escolher a mantinha que traz alegria. A gente já passou dias inteiros medindo se aquele freela ia ampliar nossa Escala Mendigo ou encurtar. Se fazer aquela compra do mês levando Danone e Yakult, na verdade, significa um lote embaixo da ponte logo após o dia 15.

Na dúvida, tenha certa sua conta na Escala Mendigo e comece a guardar sempre aquele dinheiro do sorvete gourmetizado. Você vai agradecer a gente no dia que tiver uma poupança inteira pra pagar seus boletos e nenhuma pochete pra perder. De nada.

Está desempregado? Inove, vire mendigo!

Escala Mendigo

"Se eu pagar todos os boletos e perder o emprego... Moro na rua em:
1 hora;
2 dias;
3 dias;
uma semana;
1 mês."

Tire uma foto e mande para uma amiga, para que ela não se esqueça de que está a um boleto de morar na rua.

CURRÍCULO
HIGH-
-STAKES

Para fazer aquele currículo topíssimo de alta performance, cheio de gatilhos neurolinguísticos e digno de ser lido em voz alta por aquele apresentador topzera, o segredo é: inglês intermediário.

Inglês intermediário é a loira do banheiro corporativo. Ninguém consegue provar se existe. Você pode até criar um teste para ver se aparece, mas na verdade a existência depende mesmo é de quem está chamando essa entidade. E tudo indica que o entrevistador também colocou inglês intermediário no currículo dele anos atrás e até agora ninguém testou. É item indispensável do seu currículo, porque pelo menos você já consegue passar para a fase da entrevista. E a fase da entrevista nos traz ao ápice do coaching que a Michelle do RH aprendeu naquele final de semana de Leader Training. Na dúvida, jogue palavras em inglês que você aprendeu aleatoriamente, tipo "Juntos e *shallow now*", meu bem!

Uma boa maneira de sair por cima é colocar no currículo uma língua que você tem certeza de que ninguém fala, por exemplo, japonês, russo, hebraico. Ninguém vai fazer uma pergunta em hebraico para você, ao menos que a entrevista seja pra entrar para a próxima novela da Record. Outra artimanha que eu usei para conseguir aquela vaga de palestrante canina no 2º Congresso de Comunicação em Brasília foi usar um dialeto local... No caso, o local era Ensino Médio e a língua é a do pê: PSOU PMUI PTO PIN PFLU PEN PTE PSIM.

A DINÂMICA DE GRUPO

Cada empresa vai ter uma brisa específica. Porque dinâmica boa é aquela que mostra qual é o maior psicopatinha da sala para contratar. Mas dinâmica troféu do profissional de RH com formação em PNL é aquela que, além de tudo, faz metáfora com o negócio da empresa.

Na farmacêutica, você vai ser obrigada a dizer que droga seria. Nunca dê a primeira resposta que vier na sua cabeça. NUNCA. Já participamos de dinâmicas que simulavam a venda de água no deserto, montar uma mala pra ir para a Lua; já pediram para escrever música, dançar.

E aquele negócio de ser animal? Qual animal você seria? Aí, dependendo do animal, eles te mandam um e-mail falando que você não foi aprovada. "Caralho, eu só queria ser uma joaninha, qual o problema nisso? Vou imprimir meus trabalhos de faculdade na empresa? Vou roubar o bife da marmita do outro? Quem define qual bicho é o ruim? O Jackson do RH? Jackson, se eu fosse um guaxinim, eu morderia sua perna!" E quando a dinâmica é fazer coisa em grupo? Caralho, a gente já saiu da escola e da crisma pra não passar mais por esse tipo de humilhação, mas parece que esse bando de empresário gosta de ver a gente se humilhando. Certeza de que tem uma câmera filmando a gente se atacando nos braços dos outros com a desculpa de "confiança". Ah, meu c*! Eles só querem ver a gente no chão. Sem falar que é aquilo... vai fazer grupo com quem? Ninguém se conhece, ninguém é capacitado, mesmo porque, se fosse, não estaria desempregado!

Talvez a *mais* comum e pior seja aquela em que você precisa se definir como um produto e se vender. E este livro existe para facilitar a sua vida, então já vamos deixar aqui uma sugestão para você arrasar nessa dinâmica. No entanto, mesmo que você tenha arrasado sendo um guaxinim e não te chamaram, fique tranquila, a culpa não foi sua, mas da pessoa que fez essa dinâmica toda pra botar na empresa alguém que foi indicado por alguém que já tá lá dentro.

Caralho, eu só queria ser uma joaninha, qual o problema nisso?

SEJA O BITCOIN

Misteriosa, a cara da inovação do futuro, com uma grande capacidade de adaptação. Em algum momento dessa dinâmica, enquanto você tá respondendo, vai direcionar a conversa para se elogiar sem ficar se elogiando: "Consigo me adaptar em todos os ambientes", "Meu maior defeito é o perfeccionismo", "Eu sinto vontade de trabalhar o tempo todo, e, assim como a bitcoin, sou aceita em todos os países e ambientes". (A gente só não entendeu ao certo para o que serve ainda.)

A gente gosta de chamar esse tipo de pessoa de "pessoa trepadeira" – não pelo motivo que você tá pensando, mas, sim, pelo fato de ela se adequar à necessidade, como a trepadeira faz, subindo, se enrolando, estrangulando quem está à sua volta... Aliás, achamos que isso tá mais para aquelas plantas do *Stranger Things*, né? Pode chamar, então, de "pessoas Demogorgon"; dependendo da cara (feia), até combina mais mesmo.

E não se esqueça de que a entrevista é mais do que seu currículo ou qual animal do zoológico você seria. O look da entrevista importa MUITO. Para começar, ele é sempre gospel. Você pode ser a maior biscate depois das 18 horas, mas pode começar a seguir os perfis de Instagram de moda crente e fazer a crente chique que se cobre toda, porém usa a roupa justa. Porque, se além de se cobrir toda você ficar usando macacão largo, já vão achar que você é a nova tiazinha sindicalista e que vai começar a falar de exame com a dona Neide do Fiscal. Ou aquela que, a primeira coisa que acontece, já vai ao sindicato. Sempre tem a véia do sindicato na empresa, que só reclama, mas enquanto não achar nada melhor vai levando... a gente à loucura.

E se o macacão for vermelho, então... Petralhou toda! Infelizmente, esse estilo não é bem-visto em todas as empresas, só naquelas meio de Humanas, onde tem bicho e planta pra todo lado, sabe? Nessas o *dress code* pode ser "vendo missanga na praia" tranquilamente. Mas, se for numa empresa coxa, o jeito é pôr o martelo e a foice na bolsa e se contentar com as pulseiras que a Valéria do Financeiro vende!

É claro que com o tempo de empresa a roupa vai se tornando o de menos e as pessoas começam a ver quem é você de verdade. Uma mala cafona!

Meu maior defeito é o perfeccionismo!

SIMPATIA QUÂNTICA

Você já percebeu que tudo aquilo que o coach quântico tá ensinando é uma simples releitura das simpatias que sua irmã (aham, irmã) aprendia na revista *Atrevida* lá nos anos 2000?

Você escrevia o nome do crush e jogava mel em cima, guardava nota de dólar na carteira para ver se ganhava dinheiro, escrevia o nome do boy 7 vezes no papel e fechava num pote de açúcar.

Atualmente, existe um movimento de gente que real oficial acredita que vai ficar rica cheirando dinheiro. Ou que precisa se imaginar vestindo dinheiro todos os dias antes de dormir. Como se você estivesse com um vestido de notas. E mais, isso vai reorganizar seu DNA para ser rica. Sim, DNA, aquele que você herdou da sua mãe, que é mais *f*dida* que você.

A gente já se lembra das nossas mães tacando moeda para dentro de casa na virada do ano pra ver se ganhava dinheiro, e no Natal seguinte lá estavam elas de novo parcelando os presentes.

Mas cheirar dinheiro... HUMMM, ISSO SIM É NOVIDADE. Você pode pegar essa programação neuroantística e colocar a prática para tudo que está bloqueado na sua vida. Tá encalhada? Começa a cheirar cangote de estranho no metrô. Atraia um crush para a sua vida pelo nariz. Tá querendo emagrecer? Cheira aquela amiga que come promoção de dois Big Macs e não engorda. Tá precisando tirar certificação de inglês? Cheira um gringo.

Será que aquele político é um tipo de coach? Porque ele ch... Enfim, meter o nariz onde não é chamado é sua especialidade, a gente sabe disso, porque estamos no mesmo barco fedido. Inclusive, essa coisa de ser fodido trouxe um faro a mais para nós, que batalhamos, acordamos cedo e chegamos na estação de trem infestadas com cheiro de pão de queijo (10 por 2 reais + café com leite). Você sentiu o cheiro daí, né? Sim, porque essas provações ajudaram a aguçar nosso faro, seja para vida, seja para saber de queijos. Tem coach de queijo? Tipo, parme-coach? Olha aí a oportunidade que você tá perdendo! Cheire, cheire como se não houvesse amanhã, como se o carro da coleta não tivesse passando, como se o feijão da marmita não tivesse estragado!

Transforme a crise financeira em abundância enfiando o nariz em tudo aquilo com que você sempre sonhou.

SE NADA MAIS DER CERTO, VOCÊ PODE SER BLOGUEIRA

A outra informação que a vida vai fazer questão de trazer é que você não vai estar onde achou que estaria nessa idade. Nunca. Não importa a idade, a sua expectativa te pintava muito mais competente e a vida muito mais boazinha do que realmente é. Mas, se você olhar para o lado, a única pessoa do seu círculo que PARECE ter conseguido o combo bônus anual + casamento dos sonhos + apartamento próprio + lua de mel em Cancun é a mais pau no c* de todos os seus amigos. O cara que fez o combo executivo + MBA + carrão + *triatlo* aos 25 é justamente aquele primo que você sempre evita convidar para as festas. É aquele tipo de amigo com quem não dá nem pra comentar de série porque só vê coisa chata e não entende nada. Não, você não está onde pensou que estaria nessa idade. Você e todo mundo que entendeu que o preço para se adequar ao sistema é caro demais, e não é acessível para qualquer pessoa (e nunca vai ser... olha pro nosso governo se afundando na lama e levando a gente junto). A questão real é: **mesmo a Barbie Crossfiteira e o Ken Executivo têm suas tretas e infelicidades. Não é o VR alto e o apartamento na Barra que fazem a pessoa dormir tranquila à noite.**

E não venha perguntar pra gente o que fazer, porque também não sabemos; afinal, tudo o que a gente fez foi ligar a câmera, falar mal dos outros e jogar no YouTube.

A real é: o que quer que você tenha escolhido primeiro, não tá certo. Você vai sair da adolescência e mudar de ideia. E tudo bem ser um fracasso, você só vai precisar beber um pouco mais que o resto no almoço de família enquanto ouve das suas tias o quanto seus primos estão ricos, bem casados, donos de uma chácara (com piscina) e com filhos prodígios. Quem nunca, né? Então, bora pra mudança de carreira, porque tá cheio de coach disso. MAS... Não precisa pagar, a gente vai te contar tudo o que acontece, porém só no próximo livro... BRINKS! Vamos contar neste mesmo, porque, se for igual aos outros que lançamos, não vai nem pra segunda edição. Flopamos, sim, no entanto não estaríamos aqui não fosse o flop, afinal gente bem-sucedida não vira coach!

Tenha certeza de que qualquer especialista (risos) em mudança de carreira vai pedir para você olhar para as novas tecnologias e falar de redes sociais, como se você não gastasse a sua vida no Instagram desde 2010. Aliás, se fosse por elas você seria fazendeira, porque sabemos bem que você é daquelas que passaram metade da vida jogando aquela Colheita Feliz no Orkut. Então, vamos pular isso: comece a investir num celular com câmera boa e vire blogueira. Para ser blogueira, nem de inglês intermediário precisa. E já é boa parte do que você gasta tempo fazendo mesmo. Vai fazer resenha gastronômica do *dog* da porta da faculdade. Vai fazer *unboxing* (recebidinhos) variado, como de conta de luz, internet, água e da famosa SPC and Serasa. Vai desabafar nos *stories* usando filtro de cachorrinho, mesmo que o assunto seja sério. Nada que um focinho e uma orelha peluda não aliviem!

Uma blogueira é alguém que pegou os vários nadas que fazia e decidiu reportar passo a passo em fotos, vídeos e lives. O maior *skill* da blogueira precisa ser a capacidade de falar por horas e horas sobre si mesma (justificando: "As meninas tão me perguntando muito..."), acreditando que tudo que ela acha é o que acontece com o resto do mundo. No meio dessa falação, ela enfia umas maquiagens no meio, é o famoso vídeo "MAQUIA E FALA", em que vai falando da vida dela enquanto se maquia pra, depois do vídeo, tirar a maquiagem e ir dormir. A gente virou youtuber, por exemplo, só para poder ficar dando opinião pessoal que ninguém pediu em assunto que não nos diz respeito e do qual a gente não entende nada. E tem quem adore e que entregue dinheiro para alguém que solta as maiores barbaridades em público sem se arrepender de quem ofendeu. Tem até quem vote em uma pessoa que faça isso. Para você ver como as blogueiras tão alçando vários postos... inclusive, comandante do país.

O Instagram ainda vem e facilita a vida, proporcionando o surgimento da blogueira que também é coach, ou do coach com "presença digital", que costuma ser aquela pessoa que tá lá fazendo live falando sobre o nada e de repente entra num fluxo de falar de meta, meta de cinco anos, meta imediata, meta a mão na cara, meta-se com a sua vida. A sua meta se conecta com o seu universo, que se conecta com o retrato astrológico da sua alma. Você vira astróloga de Instagram que faz horóscopo tirando carta. A prosperidade nada mais é do que uma forma de meditação. Bem quanticazinha. Parece que a gente pensou muito, mas só misturamos palavras aleatórias que escrevemos num papel, e todo dia misturamos para formar novas frases que parecem pensadas!

"QUEM MEXEU NA MINHA MARMITA?"

Enquanto você não vira blogueira e precisa trabalhar, vai ter que pensar na marmita. Porque gastar VR é apenas para o final de semana, e só Deus sabe se ano que vem ainda vai existir VR para PJ alocado em agência (que a gente sabe que você é). Para isso, você precisa ser estratégica. Flowzera. Integral Low Carb.

Já dizia aquele velho ditado: você é o que você come. E a gente completa: o que você caga é o que você fez. Então, se a "marmita" está estragada e você come, claro que você vai fazer um estrago no banheiro, então cuidado com o que semeia, porque depois pode ser a única coisa que tem pra colher. Não temos a mínima ideia do que isso quer dizer, mas ficamos com fome. Queríamos strogonoff.

Fica aqui o questionamento: "Quem mexeu na minha marmita?" Sim, é isso mesmo que estamos querendo saber. Não existe pergunta mais importante na vida de um assalariado do que essa. Aliás, a marmita deveria ser tema principal daquelas dinâmicas em grupo ridículas que os chefes inventam, só pra humilhar todo mundo na hora da contratação. Chega de marmitas reviradas, chega de abrir a marmita e notar que tem uma salsicha faltando ali.

A estratégia da marmita do tigre

Nós sabemos que a empresa, depois das 10 horas, se torna uma selva de marmitas e nada garante que aquela marmita premium de lasanha vai sobreviver enquanto você tava presa e não descia para o almoço, porque chefe adora chamar pra reunião às 11h45. E você aí falando: "Ué? Mas aquela marmita premium é minha, não? Eu tenho direito a ela!" SE ENGANOU, QUERIDA. Em empresa com mais de 10 funcionários, marmita não tem dono. Você lá, sentada, escutando gente importante decidindo coisas para você ter que trabalhar mais tarde e o Deivid do RH já desceu quando deu meio-dia em ponto. E você sabe que ele tá sempre de olho em quem trouxe o quê de almoço. E toda empresa tem um Deivid. TODA. Temos certeza de que neste minuto você já deve ter se lembrado do Deivid da sua empresa, maldito seja! E só você sabe como esses dias de curtir comer a marmita são raros; em geral, suas sobras da noite anterior são mesmo arroz com frango seco, arroz com carne moída, arroz com arroz.

Marmita é a metáfora para tudo que a gente vive. Porque a vida é uma grande marmita esperando na geladeira. Ninguém controla o que acontece quando você for abrir. E se é a sua mãe que faz sua marmita, existe o grande efeito surpresa – afinal, você não sabe se a mistura vai ser linguiça ou ovo de novo. A marmita também pode ser uma grande oportunidade para contatos, pois a troca de mistura é um exercício a ser praticado e usado a seu favor em momentos decisivos na vida de um empreendedor... ou de alguém que só quer comer algo diferente no almoço. A marmita serve para você entender relacionamentos, porque já tratou muito tomate abafado como se fosse parmegiana. Porque você tem que entender que, para seu namoro dar certo, você precisa ser o strogonoff na vida de alguém.

Não deixe para amanhã a marmita que você pode fazer hoje.

Roube a marmita enquanto eles trabalham.

Marmite-se!

Momento de sabedoria

Projeto é uma palavra que usamos para quando se trabalha de graça. Ou seja, quando seu chefe te chamar na mesa dele e falar: "Ó, estamos com um projeto novo aqui...", **PREPARE-SE**. Você vai trabalhar sem receber por isso.

NO ÔNIBUS | QUE DIVA VOCÊ É NO TRANSPORTE PÚBLICO?

Um momento de desenvolvimento pessoal na vida do brasileiro é pegar transporte público. Carro é caro, estressa e, de qualquer jeito, você já gasta todo o dinheiro que seria da gasolina para beber mais que um Chevette 77. Se o busão une a todos, que diva você é?

Beyoncé

Já chega no busão com o cabelão batendo pro lado e pegando em todo mundo. Se o cabelo estiver molhado, é uma Beyoncé em dia de chuva no show. O perfume é tão forte, que gruda no nariz de quem tá em volta, e mesmo quando ela vai embora você ainda tá sentindo aquele cheiro do creme da *Victoria's Secret* que ela pediu para a amiga trazer do exterior. Roda a catraca com o quadril e tem seu Jay-Z, que é o cobrador de bigodinho (que já foi zoado, mas desde que ele tatuou o pescoço tá na moda, e ela tá louquinha pra fazer uma Blue Ivy com ele). É daquele tipo que perde o ponto de descida por estar lixando as unhas acotovelando a pessoa do lado. Ela senta ali do lado do cobrador, fica rindinho e batendo cabelão a viagem toda. E WHO RUN THE BUS?

Lady Gaga

A poc gótica esquisita que anda toda de preto (mas o cabelo é de cor neon) e sempre perde o bilhete no meio da bolsa (por que não pegou o bilhete antes de entrar no busão, porra?). Faz de tudo para não se sentar ao lado de ninguém e, ao mesmo tempo, tenta aparecer mais que todo mundo. Fica enfiada no fone de ouvido lendo alguma coisa, normalmente algum livro adolescente ou um romance bem brega, até entrar a sua música preferida e soltar um agudo em pleno engarrafamento. O máximo de movimento que faz é tirar uma *selfie* quando bate o sol na cara para aproveitar a luz.

Madonna

Só anda de metrô porque não é obrigada a sacolejar sem ar-condicionado, mas, ao mesmo tempo, acredita na sustentabilidade do transporte público. Todos os dias está de roupa esportiva, indo ou voltando do pilates, e nunca precisa se locomover em horário de rush. Não aceita quando a novinha cede lugar pra ela se sentar, pois ficar em pé endurece os glúteos. Pega o transporte há tanto tempo, que conhece todo mundo, mas não puxa assunto com ninguém porque já faz cara feia quando vê conhecido se aproximando!

Anitta

Só pega BRT e acha que de alguma forma isso faz dela cidadã do mundo. Fica sensualizando na fila de espera para entrar, mas só atira em poc e nunca arranjou ninguém. Passa o tempo todo no WhatsApp criando intriga nos 200 grupos de que participa e depois fica off para deixar o negócio pegar fogo.

Ludmilla

Faz a doida do trem e atravessa 4 cidades todo dia de manhã até chegar no estágio; para isso, aproveita para, lá na CPTM mesmo, fazer tudo o que não dá tempo de ser feito em casa: unha, cabelo, sobrancelha, trabalho da faculdade e lanche. Anda com seu pacote de pão de queijo (10 por 2 reais) e tá sempre empurrando as tias que cortam a fila para entrar e sendo pivô do barraco às 7 da manhã. Mas isso tudo com muita classe, afinal ela já fez a sessão beleza sentada no banco de cimento da estação. Essa é daquele tipo que, às vezes, entra no transporte público com mais 5 ou 6 amigas, berrando, gritando, causando MESMO. Todo mundo em volta querendo dormir e ela lá, ventilando pra todo lado com o grupo de amigas como se só tivessem elas dentro do ônibus. Nessas horas, quem tá em volta tá orando, cada um para o seu Deus, para que esse tipo de ser humano receba um castigo divino e deixe todo mundo em paz.

Xuxa

É a rica que só pega Uber (juntos) e ainda posta a viagem toda pra mostrar que é do povo. Tá lá, usando seus Monanges e respondendo aos áudios tudo ao mesmo tempo. Nunca vemos essa pessoa reclamando do transporte público, mesmo porque a filha da mãe só pega em horário que não é de pico. Costuma ser aquela amiga que às vezes tá de carro e te dá uma carona quando tá chovendo, do que você se arrepende na primeira puxada de conversa sobre o trabalho.

Miley Cyrus

Aquela que pega o busão com os boys e passa a viagem inteira dando uns pegas. É beijo estralado, é roçação, é gente falando que nem neném e todo esse inferno de melação. Ou essa pessoa é você ou é a que vai irritar todo mundo com seu amor, porque não existe amor em transporte público lotado, nos desculpe falar. Às vezes, tá tão cheio que o casal começa a se pegar do seu lado e quando você vê já tá fazendo uma orgia com os dois sem ter opção... Quem nunca?

Mariah Carey

Aquela que é desesperada pra sentar. Saia da frente dela, senão ela te atropela para garantir um assento. Costuma ser tão desesperada que cai no vão do metrô diariamente, além de viver com a tira da rasteirinha quebrada por sempre estar no meio da confusão. Normalmente, faz seu tricô de boas, e só se mostra viva quando começa algum barraco no transporte, sendo a primeira a tirar foto e a se meter no meio. Já simulou gravidez para pegar o assento preferencial.

Rihanna

Do povão, amiga, e é quem o motorista faz questão de deixar em frente de casa. Sabe quando o ônibus fica parado esperando alguém chegar porque essa pessoa tá atrasada? Então, é ela que tem esse privilégio! Ser Riri é isso, ser amada pelo cobrador, pelo motorista e pelos colegas de transporte. É ela que grita "vai descer!" pra te ajudar; segura sua bolsa, sacola e até sua criança. Já brigou com macho que tava no assento preferencial enquanto tinha idosa de pé. Com essa diva é assim, sem injustiça no transporte. Quando tá quente, é a primeira a abrir o teto solar pra ventilar; quando chove é a única que tem braço pra fechar a janela e fazer parar de pingar em cima da tia que tá sentada ali embaixo.

SUGAR DADDY E SUGAR BABY

Agora, se trabalhar, pegar transporte público e comer marmita for inaceitável para você, a atualidade nos brindou com uma releitura da profissão mais antiga do mundo. Você pode ser sugar baby, isto é, a(o) novinha(o) que curte ser namoradinha(o) do sugar daddy, um tiozão com dinheiro demais, porque noção não tem. É aquele homem trouxa que paga as contas em troca de sexo, mas sexo que é bom ele mal tem pique e vontade de fazer desde o governo FHC. Na verdade, o segredo de ser sugar baby é nunca discordar desse cara, dar aquele whiskynho maroto para ele dormir no final da noite e nunca, nunca transar.

Analisamos cientificamente o que faz o sucesso de uma bebê de açúcar (tradução literal de sugar baby), e chegamos à conclusão de que o segredo de ganhar as coisas é não dar pro tiozão. Pensa com a gente, olha a esposa que ele está traindo. Ele não transa mais com ela. E quanto dinheiro ela não recebe? Soca Rivotril no whisky do velho, que ele dorme ainda felicíssimo de ter aparecido com você. Ele quer mesmo é desfilar, como se você fosse um troféu, e você ainda vai receber um salário por isso. Um salário com vários aumentos, diríamos.

Existem alguns tipos de sugar daddy, que vamos explicar a seguir.

O chefe

Ele fica dando em cima de você desde a entrevista, e sempre tem alguma viagem ou reunião na p*ta que o pariu que você precisa ir com ele. Até entrar no carro para a reunião e perceber que ela é precedida por um longo almoço com drinks e uma passadinha no shopping para escolher decoração para a casa dele (acabou de se separar, sabe como é), além de um presente para você em agradecimento pela ajuda. A reunião? Sei lá. A vantagem desse tipo de sugar daddy é que, como ele é separado, parte da grana dele vai ser só pra você. Não vai ter que dividir com a esposa.

O que tá pra morrer

É o sugar daddy premium top de linha. Você encontra, ele olha para a sua cara e decide que quer fazer uma última loucura antes de empacotar. Você precisa ter à mão remédio da pressão, do coração, da diabetes e das alergias dele. Ser formada em primeiros socorros é um plus. Mas esse velho estará grato só por você aguentar as histórias que ele conta nos cinco minutos entre uma conversa e outra. Emplaque um casamento e seja malandra no acordo pré-nupcial. Se não tiver filho, você conquistou o Santo Graal das sugar babies. A vantagem de se envolver com este tipo é que é tudo por pouco tempo, ele vai morrer logo. "AI, NOSSA, DIVA DEPRESSÃO, COMO VOCÊS SÃO RUINS". Ai, gente, por favor, não é mentira, né? Todo velho, que tá muito velho, vai morrer em breve, oras.

O pastor

Ele é de Deus, da família, dos bons costumes, mas tá sempre te oferecendo carona. Quando você fez a burrice de aceitar, já veio com a mão para explorar sua coxa como se tivesse perdido a Bíblia lá dentro. Apesar da pose de homem de família, ele gosta mesmo é de ir parar no pagode do outro lado da cidade e cobrir as novinhas de presentes e trocos do dízimo. Cuidado que com esse aí ajoelhou, vai ter que rezar. (Pior vai ser se ele encanar em te transformar em esposa e você precisar rezar mesmo.) A vantagem de se envolver com este daqui é que, na maioria das vezes, ele não vai querer largar a família tradicional dele pra ficar com você, ou seja: chantageie. Peça mais dinheiro SEMPRE ou você entra na igreja, no meio do culto dele, e faz um escândalo.

O ostentador

Rei do camarote, membro do clube de assinatura Sapatênis do Mês, ele gosta mesmo é de aparecer pedindo baldes de champanhe lá no Cafe de la Musique, rodeado por panicats que ele nunca vai ter coragem de ver peladas. O problema dele é que é um plano de curto prazo: você curte a noite, mas não vai namorar, muito menos conseguir aquela mesada tão necessária para deixar de ser a diva do busão. Tudo isso por quê? Porque, na verdade, ele é aquele homem virjão, sabe? À nossa volta sempre tem um virjão sem coragem de dar um oi pra você, a diferença deste aqui é que ele é rico. Aproveite os poucos minutos ao lado dele e peça todo o bar da balada pra você.

Mr. Grey

É gato, provavelmente é chefe na firma onde você trabalha, ou você conheceu ele numa balada cuja entrada teve que parcelar no cartão. Esse cara não é velho, mas precisa ser sugar daddy porque só gosta de coisa esquisita... como transar em motel de luxo ouvindo Marília Mendonça no talo. Isso quando não quer te amarrar e ficar repetindo 50 tons de cinza até você usar a palavra de segurança que ele mesmo escolheu: rissoles. Tudo pode ser até interessante, até ele querer enfiar algo 3 vezes maior do que o peru dele onde não vale a pena escrever. Aí o buraco é mais embaixo... Ou em cima, ou mais pro ladinho...

Na verdade, cinco minutos depois de você ter decidido ser sugar baby, vai acabar entendendo que o que compensa mais é ser sugar momma. Olha aí a Madonna. Fica rica e compra os modelos cariocas *tudo lindo*; daí, você nem precisa fingir que se interessa pelo que ele fala. Aí, quem vai enfiar o negócio 3 vezes maior no outro vai ser você, *amore* (mas com jeitinho e amor, tá?).

NÃO EXISTE GENTE FEIA, EXISTE GENTE ~~POBRE~~ COM POUCOS RECURSOS

A verdadeira invasão zumbi que a modernidade trouxe foi a rotina coreana – que rapidamente virou coisa de blogueira xoxada e agora se chama skin care, para poder manter o hype. Skin care consiste numa forma de tortura asiática na qual você passa 12 produtos quando acorda e mais 12 quando vai dormir. Entre a rotina matinal e a noturna, sobram exatamente quarenta e cinco minutos no resto do dia, que podem servir para fazer seu cronograma capilar, porque ninguém aqui tem mais nada para fazer, né? E os benefícios do skin care são comprovados por todas as blogueiras de 22 anos que passaram a vida dormindo bem e tomando vitamina de leite Ninho. Ou seja, skin care só pode ser a palavra em coreano para "nasci rica". Não tem como você fazer skin care quando você acorda às 4 da manhã, pra estar às 8 horas no trabalho, depois ir pra faculdade e chegar em casa à 1 da manhã, para então, às 4 horas, ter que estar de pé novamente. NÃO TEM COMO, MEU DEUS!

Mas a gente ignora, quer acreditar no milagre, e quando vê já tá com a máscara de folha gosmenta na cara, tão esquisita que o cachorro já correu pra debaixo do sofá e se recusa a sair. Qualquer coach diria que não passa de uma questão de organização do tempo, esforço e aplicação. Que você só precisa estruturar suas prioridades, e uma pele boa é uma delas. No fundo, está tudo estruturado para que você queira ficar igual àquela blogueira lisa, que aparece na foto sem poros no rosto. O problema, meu bem, é que, assim como nem a modelo da revista acorda como ela mesma naquela foto, a blogueira edita todas as fotos antes de postar. Ninguém quer sair mal, mas estamos tão expostos a tanta imagem o tempo todo que vai virando realidade. Aquela máscara vai alisar seu rosto, a harmonização facial vai fazer você nunca mais se preocupar com o espelho... até a próxima noia.

Sinceramente, em vez de gastar tanto dinheiro só pra depois fazer *selfie* e pedir biscoito no Instagram, troque a harmonização facial por uma harmonização financeira e invista em algo que vai fazer você se sentir bem com quem você é, em vez de pensar em quem você poderia ser. Talvez se amar seja isso. É mandar a clássica frase de Tati Quebra Barraco: "Quem tá comendo não tá reclamando". É esquecer a blogueira e fazer tour pelo seu próprio corpo, andar pelada e deixar o vizinho lidar com isso. E pau no c* de quem não gostou.

Troque a harmonização facial por uma harmonização financeira.

SAÚDE SÓ PARECE BOM QUANDO A GENTE PERDE

Já diria a sua avó: se você gastar com a sua saúde metade do tempo e do dinheiro que andou investindo em skin care, no futuro, estará mais jovem que a Madonna.

Cuidar da saúde é chato, a gente sabe. Tem aquele exame que você está para fazer há seis meses e não consegue porque ele exige ficar três dias sem beber. Sabe aquela azia que você sente só pelo fato de respirar, mas continua tomando café e enchendo a cara como se tivesse o estômago de chumbo? Tem aquela consulta no dermato que só dá para fazer no sábado de manhã, e quem consegue acordar no sábado de manhã? Ninguém, isso mesmo, exceto se você trabalha de sábado ou domingo, né? Daí piorou. Tem aquela yoga das 7 horas que você jura que vai fazer todo dia, mas às 7 horas tá frio demais para sair na rua, então é melhor ficar na cama olhando o celular. Ou a nutricionista, que vai passar aquela mesma tabela de sempre sobre o que você precisa comer e quando, e qual é a forma certa de montar um prato. (Será que se você efetivamente prestasse atenção não seria a mesma? Fica a reflexão.) E, claro, você irá fracassar, pois na primeira oportunidade vai comer um miojo porque é mais fácil de fazer.

A questão é que, por não haver glamour nenhum em fazer o básico, a gente fica gastando tempo e dinheiro para fazer o que não precisa, como dieta. Um mundo correto é um mundo sem dieta. Porque dieta é igual a livro de autoajuda e a canal no YouTube: se fossem bons, não haveria tantos. Quem come direito não faz dieta. Quem cuida da pele no dermato não faz skin care. Quem dorme cedo consegue regular o sono e não precisa de remédio para dormir. A vida é simples, mas a gente prefere jogar óleo de coco no café e imaginar que isso vai apagar o quanto de refrigerante que a gente toma de estômago vazio. Voltar para o básico pode ser bom, e você vai se sentir chique como a Paola Carosella quando fizer carão no quilo junto com as colegas da firma: *"Eo ssó como comida de ferdadji"*. Na dúvida, o agronegócio já tá facilitando a sua vida: hoje, você já consegue um pouco de droga junto com a salada.

Um mundo correto é um mundo sem dieta

AMAR É FÁCIL, DIFÍCIL É VOCÊ

A gente não vai te ensinar a conquistar alguém em dez dias. Porque só um milagre faria isso! Essa geração é difícil de amar, que só por Deus. Primeiro, todo mundo que se interessa por só encontrar alguém para dividir a vida não está sendo desconstruído o suficiente. "Mas e o poliamor? E a liberdade? E você não vai questionar a monogamia compulsória?" "Mas eu vou ter que tirar o pijama na quinta à noite para sair?" "Tudo bem se eu não tomar banho?" "Conchinha no calor, por quê?" São muitas questões, e bem sabemos que qualquer um com menos de 30 anos está com preguiça de responder (e quem tem mais de 30 simplesmente não liga mais, porque a modernidade líquida inundou tudo e agora a gente namora o *podcast* que gosta de ouvir de manhã: frequente, confiável, não invasivo, respeitador do lugar de fala).

A questão é que o Instituto DataDiva comprova que quase todo mundo que acredita que o amor é difícil, na verdade, é mais difícil ainda como pessoa. É aquela menina que fica com um cara que conheceu no rolê e, depois, passa a semana toda querendo falar com ele, mas não manda mensagem. E se ele mandar tem sempre um defeito: demorou/falou pouco/falou muito/não pediu para sair de novo/tá querendo conversar demais/mandou um bom-dia/conversa de menos... Desculpa, dormimos um pouquinho aqui só de lembrar a quantidade de complicação inventada quando nos mandam perguntas para o *Amiga, deixa de ser trouxa!*.

É o mocinho que manda pra gente FALSAS DÚVIDAS, do estilo: "Ah, mas meu boy tá afastado e tem um amigo dando em cima de mim. O que faço?" Meu filho, você já sabe muito bem o que fazer, mas tá esperando um aval para meter um chifre no boy todo cagado, em vez de meter um pé na bunda dele e ficar livre para provar outros perus.

Normalmente, a gente tem a resposta pra tudo, mas finge que não sabe para se manter na mesma situação ruim, porém confortável, porque sair da zona de conforto ninguém quer, né? Aliás, dizemos zona de desconforto, porque as pessoas só reclamam, mas tomar atitude que é bom, nada!

Então, antes de falar nas redes sobre como o mundo é injusto e que ninguém presta, questione se você mesma presta ou se na verdade só está procurando alguém para inflar seu ego e esfregar na cara dos outros. Alguém com quem você nem quer trocar nada, que servirá apenas para você poder sentir que está por cima. É, às vezes o embuste é a gente...

Quase todo mundo que acredita que o amor é difícil, na verdade, é mais difícil ainda como pessoa.

MÉTODO RIHANNA DE RELACIONA-MENTOS

Você certamente já viu por aí o meme "mate um *homi*", referência a música "Man Down", da diva Rihanna. Antes que venham nos falar: aí Diva, como podem falar isso? A gente avisa que é preciso interpretação de texto para entender ironia, né, mores? Inclusive, a gente é *homi*.
   Todo dia aparece um *homi* novo na internet falando sobre como não dá para se relacionar com uma mulher que não combina calcinha e sutiã, ou que se ela não tiver a depilação em dia não vale a pena, ou então que se tiver estria é sinal de que ela não se cuida. Há ainda aquele que passa manual de como uma mina deveria ser para ser aceitável para ele. A gente fica se perguntando como que nunca viu mais notícia de homem sendo envenenado por aí, porque se morasse com a gente e começasse com essas era Método Rihanna na mesma hora. Nada que um spray de barata na cara enquanto o infeliz dorme não resolva.
   Tem coach por aí querendo ensinar mulher a fazer sexo oral em homem, acredita, menina? A gente tem vontade de invadir a sala de aula desse imbecil com uma metralhadora e pá! *ROM POM POM POM*. Mas a gente sabe que seríamos presos. O máximo que podemos fazer é deixar o alerta: CHEGA de investir tanto para dar prazer para homem, gente! Homem

também tem boca, ou seja, homem também pode aprender a chupar uma pepeca.

Imagina tudo o que você aguenta na vida – chefe, pós-graduação, aprender inglês/espanhol/português mesmo, fila, imposto –, para ainda chegar um macho e cagar regra no mínimo que você controla. Querer dar o tom da sua visão de vida? Raid nele. Começou a fazer o embuste? Mata mesmo. Mate um *homi* hoje, que ele não vai cagar a vida de outra ou de outro no futuro. O planeta agradece.

Tem coach por aí querendo ensinar mulher a fazer sexo oral em homem, acredita, menina?

OS CONTOS DO EMBUSTE

Todo mundo já se relacionou com um embuste. O jeito mais óbvio de ter certeza de que aquilo é um embuste não está nas coisas que ele fala, mas nas coisas que você acaba falando para defender aquele erro cósmico, no qual você está insistindo. A marca registrada do relacionamento com o embuste são as mentiras que você conta para parecer que aquilo é bom ou normal.

Se você (ou qualquer amiga[o]) começar a falar qualquer uma das frases a seguir, fica registrado que a partir da compra deste livro os amigos estão autorizados a te trancar em casa e a incinerar o seu celular até passar o efeito da droga. Isso não é amor, não é encontro de almas. Não existe pessoa especial que faça você soltar uma dessas. Intervenção, já.

> Ele disse que ainda gosta da ex, que ela é louca, mas que não é culpa dele. Ele só traiu ela com a melhor amiga e depois pegou todo o dinheiro do noivado para fazer wakeboard nas férias, levando embora o cachorro dos dois. Mas ela é muito irracional, não entende, se faz de louca, grita por nada. Tadinho, ele sofre."

> Ele sempre me manda mensagem carinhosa. Assim, nada escrito, só um emoji... de macaco, e depois um de sol e outro de sorriso. Todo dia. Quer dizer, todo dia sim, dia não. Depois das 2 da manhã, mas é sempre."

> Ele disse que não está mais casado, só moram juntos por causa das contas e dos filhos. Ela não aceita a separação, então ele tá indo aos poucos. Passa todo o final de semana com a família, por exemplo. Daí a gente só sai de dia de semana. Ele é superbom pai, olha quanta foto no Instagram."

> As nossas almas se encontraram, amiga. Mas ele tem muitos traumas do passado e da família, por isso não consegue namorar ninguém. Ele me disse que eu sou especial, mas que ele não consegue pensar num futuro que inclua outra pessoa."

> Ele disse que me adora, morre de tesão por mim, mas não tem como apresentar pra galera uma menina... assim... mais cheinha."

> Ele me ama, jura que só tem a mim, apesar de não estar pronto para assumir, por isso insiste pra gente transar sem camisinha, porque confia muito em mim."

> Ele pediu para não falar nada dele pra vocês porque não quer saber de alguém contando as coisas que ele faz, ou da vida dele para meus amigos ou minha família. Se ele souber que falei sobre ele, fica muito bravo."

Minha filha! Corre que é cilada, Bina. Nunca a culpa é do embuste, sempre dos outros, nos 375 relacionamentos anteriores. A culpa é de todo mundo, menos dele. Inclusive, se você questionar, é capaz de ele colocar a culpa até na mãe. Se for desde pequenino que se torce o pepino, um cavalão desses não vai se consertar nem moendo a piroca. FOGE!

ALGUM CRITÉRIO NÃO IA TE FAZER MAL

A gente sabe que é difícil encontrar alguém interessante no mundo. Mas daí pra entrar na liquidação e colocar a plaquinha de black friday no pescoço, você só precisa de duas caipirinhas, né? A dica do coach seria você fazer mentalização do tipo de pessoa que se quer. Depois, fazer o coaching de pompoarismo, sedução, livramento de "dedo podre", tática de investimentos no Tinder e administração de mensagens no WhatsApp (a gente jura que existe). Com esse conjunto de aulas – que não servem para nada –, você estaria prontíssima para enganar alguém a gostar de você. Mexer nas probabilidades para fazer o jogo virar ao seu favor. Manipular as condições. Pera. O coach quer mesmo que você ENGANE alguém para gostar de você? Pois a gente sabe que é isso que significa.

Antes de cair nessa, **entenda que na maioria das vezes a nossa vida amorosa não passa de um reflexo de quem nós somos por dentro.** A gente sabe, você tá imaginando seu pulmão, seus rins e seu estômago todos fodidos... Enfim, quem entra em projeto de manipulação certamente será manipulado. Porque, afinal, foi o jogo que você topou jogar.

"Ai, Divas, mas vocês não entendem, estão juntos há mil anos, não sabem como tá lá fora."

Sabemos sim, e sentimos dizer que lá fora tá do jeitinho que estiver aí dentro. Um caos, né? Antes de pensar no quanto você encalhou na praia e nunca mais nem um passarinho pousou em você, tenta se perguntar por que nunca planejou uma viagem sozinha. Ou por que não vai no cinema sozinha. Já bateu uma siririca hoje? Por que não consegue passar um dia inteiro sem o celular? Amiga, deixa de ser trouxa. Só dá para atrair gente legal se você for legal também. Fica uns dias sem Tinder e depois volta a usar por esporte. Curte. Não calcula. O critério vai começar aí: "Eu sou tão feliz sozinha, que vou gastar tempo em quem faz minha vida mais divertida, mais intensa, mais legal, nas horas que rola de estar junto". Parece impossível, mas é matemática. E, olha, nem sabemos a tabuada inteira (chega na do 7, vira aquela confusão). Você não é uma pessoa legal, generosa, que gosta de se divertir, de apoiar quem ama, de respeitar o espaço do outro e de ver Netflix tomando vinho? Acha que é a única? Tem muitos semelhantes. Mas vocês só vão se trombar se pararem de cair em papo de coach e blogueira (e youtuber, misericórdia).

Amor não é difícil

Listamos algumas coisas mais difíceis que o amor:

- Pagar todos os boletos no começo do mês.

- Fazer as 168 repetições das mentalizações quânticas do dinheiro.

- Cumprir as metas de cinco anos que você colocou no coaching.

- Suportar o parente bêbado no churras da família.

- Entender os vídeos que seus pais repassam no WhatsApp.

- Suportar bafo do seu colega de trabalho.

- Usar banheiro público.

- Usar o fone de ouvido de um lado só porque o outro quebrou.

- Sobreviver com o salário que você ganha.

Animais ~~fantásticos~~ bizarros e onde habitam (no Tinder) | Pago ou não pago o premium?

Se tem uma coisa que quase mata a gente de rir é pensar que agora existe Tinder Premium. Agora não, né? Faz um tempinho. Ele existe basicamente para te dar o poder de FORÇAR A BARRA com alguém que não te curtiu de volta.

AMIGA, quantos outros métodos de namorar de graça existem? Com eles, você não gasta 1 real e consegue ser trouxa igualzinha. Lembra quando as pessoas faziam dos anúncios de jornal um Tinder impresso, para atrair a maior quantidade de gente possível? Imagina que vintage?! Compra uns links patrocinados no Instagram, com aquela foto toda editada bem blogueira. E depois começa a fazer as sinastrias amorosas.

Falando em signo, deixa a gente te contar uma coisa: xeretar nos sites de signos essas combinações absurdas de personalidade NÃO VAI TE DESENCALHAR, TROUXA! Pare com essas coisas de signo, é sério! A gente vive comentando e vamos repetir, pra ficar aqui registrado: quando o pau sobe e a pepeca molha, não tem essa de signo não! É bimbada a noite toda! É Áries com Áries, Gêmeos com Gêmeos, daí pra pior... Porque é bem isso, né? Você já tá no app pensando: *Geminiano não, pelo amor de Deus*, tentando filtrar, enquanto a maioria dos machos ali só deu like em todo mundo e boa sorte. Adivinha quem vai namorar primeiro?

Amiga, deixa de ser trouxa!

RELACIONA-MENTO É UMA FORMA DE INVESTIMENTO

A gente ensina em que tipo de homem você tem que investir.

Já que você continuou pagando Tinder Premium e fazendo as 13 aulas de sedução que recebeu por e-mail (nas quais clicou e pelas quais, mesmo assim, pagou), vamos aos fatos. Relacionamento é um grande investimento. Cabe a você ver no que vai investir, que futuro aquilo vai gerar. Seja sexo, viagens, conquistas, filhos ou um simples chifre. Existem alguns perfis que podem valer seu investimento. Vamos falar um pouco deles a seguir.

O nerd

Existem 2 tipos de nerd. É preciso percepção para diferenciá-los, porque em geral ambos usam camiseta de banda, jogam RPG e videogame e vão na Comic-Con. Dentro desse recorte, existem os que namoraram a vida toda e vão, além de ser ricos no futuro, te idolatrar como se você fosse a Daenerys Targaryen (talvez você precise se fantasiar como ela no aniversário de namoro), e tem os *incels*, que dedicam todo seu tempo a xingar no Reddit – hábito que, não por acaso, transforma eles em frustrados e funcionários dos primeiros. Como diferenciar?

Só no primeiro encontro. O primeiro tipo pode ser tímido, mas conversa bem, enquanto o segundo vai fazer longos, looooongos discursos sobre tudo o que sabe e você sempre vai ser corrigida. Basta abrir a boca.

O topzera

Carrão, balada top, final de semana no litoral, date no restaurante japonês que "é a segunda casa" dele. O topzera é um bom investimento, mas existe um único problema: ele realmente se acha um prêmio, uma coisa rara, alguém que todo mundo quer namorar. O próprio Thor de Wakanda de tão raro. Claro que qualquer mulher que encostar nesse pinto de ouro vai sentir necessidade de se casar com ele. Então fica a seu critério decidir se quer investir num cara que ama tanto a si mesmo, que possui seu próprio harém. Ele pode ser uma boa diversão, um bom final de semana, um cara ótimo pra apresentar pras inimigas. É muito difícil um topzera não ser lindo, ou, melhor dizendo, o famoso padrãozinho. Mas imagina atravessar um inverno com o topzera querendo sair no frio de 3 graus pra fazer carão em rodízio de fondue? Isso quando ele não invoca de querer tirar foto sem camisa no meio da neve... Sim! Esse cara faz isso! Vasculhe na sua mente: temos certeza de que em algum momento, rolando o seu feed do insta, você já viu esse cara exibindo o corpo no meio do gelo. Dizem por aí que piranha não tem frio, mas piranho também não sente frio não, tá? Porque quando ele finalmente se amarra, esse é o destino. Topzera apaixonado é a coisa mais cafona do mundo.

O coxinha

Emprego no banco, mãe religiosa, almoço de domingo, toda a lista do que é normal fazer e do que não é prontinha pra te domesticar. O coxinha dá um ótimo marido. Isso, se por volta do terceiro ano de namoro você não tiver um AVC de tédio. Todo mundo, em algum momento da juventude, entendeu que não pensa igual aos pais e estabeleceu um relacionamento de respeito com eles, menos o coxinha, que basicamente cresceu e viu que os pais estavam certos. Tem mesmo que trabalhar pelo bônus. Precisa votar no candidato que manda privatizar a cidade. Para ele, é feio mulher que fala palavrão. Beber muito, então, que horror! O coxinha garante que você vai ter filhos lindos, viajar pra Disney, e sempre, sempre, ficar quieta pelo menos duas horas por noite quando ele volta do trabalho e tem tanta coisa pra contar. Taaaaaanta coisa.

O esquerdomacho

Tem cabelo e barba compridos, faz yoga, se diz feminista e acha uma boa investir em poliamor. Também podemos chamá-lo de homem GOOD VIBES, sabe? Esquerdomacho também tem algumas variações: existe o místico, o militante, o artista. Vale a pena investir no esquerdomacho quando você sabe que nem na mãe da gente dá pra confiar 100%; em macho, menos ainda. Nada de cair no conto da sexualidade livre que ele precisa ter e você não, nem nos ensaios de nu artístico que ele faz super de boa (só com mulher padrão e gostosa), nem acredite nos papos dele sobre o que é certo você pensar, ou no que você deveria acreditar. A visão de mundo é sua e ele que se vire.

Esquerdomacho bom é aquele que sempre topa bar, sempre topa rolê, mas pode ficar chato porque no fundo ele não passa daquele colega de faculdade que nunca saiu do lugar. Nunca achou graça em nada além de festa com litrão barato e os mesmos papos (superprofundos) de sempre. Podemos reconhecê--lo, também, como aquele tipo de gente que tira foto pelada em casa do lado das samambaias, com aquele típico apartamento de chão de taco... Ai, que preguiça.

O mochileiro místico

Versão rica e menos politizada do esquerdomacho. O mochileiro místico é aquele que, no perfil do app de relacionamento, só posta foto dele viajando em meio a um monte de paisagem exótica. Tudo é energia, vibração, mana, e ele adora se descrever como "um aquariano inquieto". Ele é o que o esquerdomacho queria ser se tivesse nascido herdeiro. A graça do mochileiro místico é que ele vai supersentir o papo de que suas almas se encontraram e sempre vai ter erva da melhor qualidade (pra chá... lá vai você pensar besteira...). Nada irrita ele, mas vai ser só o relacionamento ficar sério para ele dizer que é bicho solto e precisa da liberdade. Você foi avisada.

O pobre

O pobre marca de te encontrar no domingo lá na estação de trem pra vocês darem um rolê grátis, comprando cerveja barata para beber na Avenida Paulista ou no parque da cidade. A gente recomenda investir no pobre, porque ele sempre vai entender o valor de um lanche no final da noite ou de fazer um rangão pra ficar vendo Netflix com você (afinal, você também é pobre). Se ele não der sumiço de sexta até o final do domingo, pode ter certeza de que só não te vê mais por conta do preço da passagem.

Pobre não tem miséria, vai te levar na casa da mãe e sempre vai ter macarrão, gatonet pra ver filme, churrascão e mais o que vier no final de semana. O pobre topa bate e volta na praia com aquele seu monte de prima chata e ainda leva a caixa de som pra bombar o Mc Livinho a tarde toda. A gente investe no pobre porque ali não tem frescura, e rica e poderosa já pode ser você, né, querida? Fica rica e cobre esse homem de corrente de ouro. Um plus sobre esse tipo de ser humano é que, na maioria das vezes, ele transa muito bem! MAS MUITO BEM MESMO!

COACH NÃO TEM AMIGO, SÓ NETWORKING

"O que é networking? Um tipo de lan house?" Não, trata-se da capacidade de estabelecer contatos que podem indicar você para uma vaga de trabalho sem a necessidade de você enviar um currículo – isso no trabalho, porque na vida a gente pode resumir como o círculo de pessoas que não te ignoram.

Uma das primeiras regras do coaching é que você é a média das 5 pessoas com quem mais convive. Ou seja, se só tem amigo endividado, que nunca dá certo no amor e está sempre arrastando na sarjeta, a gente não precisa ficar explicando muito qual é a sua situação. O problema maior do coach é ficar achando que tudo que a gente faz na vida é uma poupança pra se salvar no futuro (investimento, ele diria). Isso também pode ser chamado de "amizade por interesse", mas a gente acha que dessa outra forma soa um pouco melhor, não? Se bem que, se você para pra pensar, sempre tem aquele amigo que pede dinheiro emprestado seu e nunca paga. Se você anda sempre com ele, como você vai ficar? Sem grana igual a ele, não faz sentido? O problema é quando você que é essa pessoa. Estão fugindo de você? Olha, ninguém quer pegar a "média" sua!

A cada cerveja que você toma, precisa ser com alguém que renda uma oportunidade, ou você está desperdiçando suas horas do dia. Aliás, pare de desperdiçar tempo dormindo, porque nada garante que amanhã você não vai se arrepender de ter descansado. A mastigação, por exemplo... perda de tempo! Engole inteiro o alimento, e você vai ver o quanto o seu dia vai ser mais produtivo! Estamos brincando, pelo amor de Deus, não queremos ver ninguém engasgando com uma coxinha de catupiry! Sério, o coach ainda vai ter a pachorra de chamar isso de mentalidade da prosperidade. Mas tem coisa mais de morto de fome que essa? "Só me mexo para sobreviver, só sou amigo de quem me traz benefício."

Amizade é apoio, compreensão, é ter alguém pra segurar seu cabelo quando você está vomitando sem nem precisar pedir. Vamos ser amigos, sim, de gente que não traz absolutamente benefício nenhum além de deixar a vida mais leve. No máximo vai ser madrinha de casamento de alguém e ter que parcelar uma batedeira para o casal, ou ser madrinha dos filhos, mas um saco de fraldas resolve. O resto é coaching.

Momento de sabedoria

Sarjeta é igual a coração de mãe: sempre cabe mais um.

NEM TUDO QUE RESPONDE WHATSAPP É AMIGO, JÁ DIZIA O SÁBIO

Tem gente que só quer você pra passar tempo e ser tampão de carência. É aquilo, você manda um textão, a pessoa responde com um emoji de "joia"... Dá pra reconhecer de longe: é aquela que só aparece no WhatsApp pra falar de si mesma. Você começa a conversar sobre como no mesmo dia perdeu o emprego e quebrou o pé e ela já muda pra "e eu, que tava vendo uma série e a internet acabou?" É IMPRESSIONANTE como sempre tem alguma história relacionada a ela mesma, em cima de tudo o que você conta. Se você fala que caiu e machucou o joelho, ela vai lá e conta que caiu, machucou o joelho e teve fratura exposta. Tudo o que acontece com ela é pior/melhor do que o que rolou com você. É simplesmente insuportável.

O mal da nossa geração é confundir tempo trocando ideia e sticker com amigo de verdade, porque a grande maioria das pessoas só precisa de alguém pra ficar vomitando tudo que passa na cabeça, e nós acreditamos que esse tipo de gente estará lá para nós quando a vida ficar complexa.

Amigo que já te viu pelado não é seu amigo. É outra coisa

A gente nem deveria ter que te dizer isso, né? Precisava ser a primeira regra do coaching caríssimo pelo qual as pessoas pagam para cheirar dinheiro. Aquele ex com quem você fica conversando, chamando de irmãozinho e despejando, o tempo inteiro, sobre os boys novos, sempre com papinho sonso e emoji de coraçãozinho, não passa do seu levantador de moral. Pior do que isso, é seu prisioneiro, aquele botão de afeto que você aperta toda vez que o cara com quem você realmente gostaria de estar falando não te dá moral. É alguém com quem você vai dormir de novo após a terceira gin tônica. Não é seu amigo. Como testar isso? Repare se você realmente tem intimidade para falar coisas que não te deixam tão bem na fita assim com a pessoa (como estar com diarreia) ou se só fica "desabafando" para ganhar aquele confetinho no final.

Toma vergonha na cara e solta os condenados. Você pode encontrar uma transa nova. Você pode ter ótimos amigos com quem não transou. Você pode ter amizade que não fica pagando pedágio pro seu medo de solidão. Acabamos de economizar grana de um ano de terapia, só sobraram mais 10. De nada.

Talvez você se sinta sozinha e a culpa seja sua

Como boas divas velhas, a gente recebe muita pergunta dos novinhos e das novinhas que já cresceram com Snapchat na mão. E ficamos chocadas em Cristo com a quantidade de gente nova que diz que tá sozinha no mundo e sente que não pode contar com ninguém. Mas sinceramente... alguém pode contar com você, amorzinho?

Ou você só existe na internet e nunca está disponível para aparecer na casa dos amigos, ficar de bobeira, fazer companhia para quem precisa? Lavar aquela louça pro amigo que está doente? Levar uma marmita? Reclamar é fácil (a gente sabe), mas olhar para o próprio umbigo e ver o quanto você não faz nada por ninguém, mas exige que os outros façam por você, é mais fácil ainda.

Às vezes, justamente por reclamar tanto, as pessoas estão é fugindo mesmo de você. Sabe quando o grupinho sai todo e não te chama? Isso é um sinal! Talvez a sonsa do grupo seja você, que nunca está disponível, tirando quando precisa muito que alguém cuide do seu gato para ir viajar.

O mundo tá cheio de folgado, o que dá uma probabilidade forte de que talvez a folgada do grupo seja você. Não dá para receber o que a gente não entrega.

Momento de sabedoria
Em terra de falsiane, quem tira print é rei (dos pau no c*).

COACH É A SUA MÃE

Se você nunca ouviu falar de cocriação, ainda não está totalmente adaptada ao coaching de internet. Cocriação é o que as doidas fazem quando cheiram dinheiro. Quando decidem limpar o inconsciente para imaginar tudo o que querem e que será entregue de bandeja pelo universo. Essa coisa de tudo acontecer sem você se ferrar nem um pouquinho para conseguir só rola em filme mesmo, não adianta. Ficam os coaches mandando você meditar até conseguir um novo emprego e você não revisa esse currículo desde 2004. O Zé Carlos do RH já dizia: "Não adianta nada querer aumento e não aparecer para a avaliação do final de ano". O melhor é pensar que dá pra dividir coaching em duas turmas que não se entendem: os que mandam ficar pensando nas coisas e os que fazem lista e dão ordem em você.

A primeira turma te trata como a sua avó: "Ai, bem, acredita que dá certo". Só fala isso porque não tem paciência pra aguentar os papos (e tá errada?). A segunda turma É A SUA MÃE. Tem que levantar. Tem que ter rotina matinal. Agora malha. Agora come. Depois disso, vai pro trabalho. Sem procrastinar! Sem deixar bagunça em casa! Come direito. Pensa no que você quer da sua vida. "Qual é seu plano de cinco anos, Jaqueline? Vai morar aqui em casa pra sempre? Seu irmão já tem

3 filhos e 2 financiamentos imobiliários, e tudo que você tem no seu nome é essa coleção de Hot Wheels que ganhou com 5 anos de idade. Você tá juntando dinheiro? TEM QUE JUNTAR DINHEIRO, PORRA! NÃO VAI VIVER DE APOSENTADORIA! Com o que você ganha, já era pra estar milionária!"

Tem gente que paga para alguém simplesmente se comportar como a própria mãe sempre se comportou. Tá sem dinheiro pra coaching? Liga pra ela. Se ela não estiver, serve a tia evangélica.

Lembre-se: todo cadáver congelado no Everest já foi altamente motivado.

EXPANDA A SUA CONSCIÊNCIA...

A VIRADA DOS 30

... PARA A REALIDADE

Muito se disse, mas, se você ainda não virou, saiba que a única verdade sobre a virada dos 30 anos é que ela é muito cansativa. Só isso mesmo. Muito se fala da tal "crise dos 30", mas, meu bem, pra quem é pobre a crise existe já antes de nascer e continua até no enterro. É tipo uma herança, sabe? Viemos na crise e na crise pereceremos. Crise faz parte da nossa vida, surpresa seria chegar numa idade em que não tem crise nenhuma (mas a gente sabe que isso tá mais ligado a dinheiro do que idade).

E aí vêm os coaches financeiros te ensinar a cortar o cafezinho ou levar sanduíche de frango na bolsa para não comer fora, afirmando que isso fará você chegar ao seu primeiro milhão... Sério? Na adolescência, a gente imagina o momento dos 30 anos como proprietários de imóveis, empregos estáveis, casamento. E aos 30 você provavelmente está sem nada porque se deu conta de que a vida não é nada do que achou aos 25. Foda-se.

Ao fazer 30 anos, você não vai ter uma epifania e entender tudo sobre a vida. Você vai começar a gostar de coisas de que não gostava, tipo aqueles vinhos amargos, queijos e sonecas em todos os momentos. Ah, sonecas... Você vai estar melhor para escolher, só que nem tanto. Você já trabalhou por mais de dez anos e provavelmente não conseguiu NADA com esses dez anos de trabalho no sentido de bens ou renda (se for herdeiro e ganhar carro/casa/cargo de diretoria na empresa de papai, não vale, amore, a gente te zoa mesmo; quer tapinha nas costas, contrata um coach). E daí, aos 30, você já trabalhou por dez anos e tem que achar motivação para trabalhar mais uns vinte. Essa é a hora em que TODO MUNDO considera coaching. E segue sem saber se vai conseguir alguma coisa também, pois o futuro é incerto demais.

Parece que esses dez anos só serviram pra entender, e teve gente que entendeu (ou desistiu de entender) logo no começo, porque ganhava bem. Mas para esses a gente espera a crise de meia-idade.

Aos 30 você provavelmente está sem nada porque se deu conta de que a vida não é nada do que achou aos 25. Foda-se.

COMO FAÇO PARA VIRAR COACH?

Para início de conversa, estudar é desnecessário. Aliás, estudar é desaconselhado, porque a moda real é falar que você fez escola da vida. No manual de etiqueta do coach, há regras como falar coisas sem sentido com o ar mais sério possível, voz alta e muita segurança, e apresentar dados que nem você mesma entende. Basicamente, ser coach é apresentar TCC pelo resto da vida. A vivência executiva do coach importa, e isso você tem de sobra: passa horas falando qualquer coisa no WhatsApp e sabe preencher o silêncio de gerações com groselhada.

Kit coach

- Pegue alguma profissão na qual você deu muito errado.
- Use seu exemplo de derrota como uma prova de autoridade para ser especialista naquele assunto.
- Potencialize seus afazeres inúteis como habilidades: gestão de macramê, administração de pacotes de M&M's, compilação de memes e investigação de redes sociais.
- Crie um bordão que não faz sentido: "Tem que caminhar o caminho!"; "Olhe além da visão"; "Escute, mas não ouça"; "Administre as batidas do seu coração" etc.
- Crie um canal no YouTube sobre isso (risos).
- Escolha uma playlist impactante para sua palestra. Todo coach toca Imagine Dragons, Tina Turner, Xuxa e Queen (você sabe de qual música estamos falando).
- Pronto, agora é só começar a cobrar!

NA INTERNET A GENTE É DIFERENTE

Quantas pessoas você conhece que são completamente extrovertidas, divertidas, sagazes na internet, mas, quando você tromba com elas na rua, só faltam entrar no celular pra se esconder? Quanta blogueira parece queridíssima, quando, na verdade, mal consegue tirar uma foto com fã?

Bom, se você só consegue ser afetuosa, caridosa e alegre nas redes sociais, está na hora de repensar. Tudo indica que o problema não é você, mas ter que sair na rua. A gente também não vê tanto benefício assim, não. Na verdade, é ótimo ficar na sua bolha na internet. A profissão do futuro é o ermitão digital e tem tudo para dar certo. Logo as cadeiras terão privadas para a gente não precisar nem levantar (já estamos patenteando a ideia). Não pega trânsito, pede comida em casa, pede mercado e não precisa conviver com absolutamente ninguém. #missao #pegaavisao #parasempredepijama

Momento de sabedoria

Para toda ação há uma consequência. Fica em casa, pelo amor de Deus.

O FRACASSO É A INSTITUIÇÃO DEMOCRÁTICA MAIS FORTE DO BRASIL

Quando parece que nada mais funciona, não se preocupe. Não está funcionando para ninguém mesmo, o tempo todo. Se tem uma coisa que a gente pode dizer que não poupa cor, gênero e até classe social é a habilidade de fracassar. Você pode ser o maior herdeiro do Brasil e mesmo assim ainda vai fazer umas cagadas que #misericórdia. O segredo é fingir que aquele fracasso, na verdade, é uma grande lição de vida e escrever sua própria palestra TED sobre como você não deu certo na vida. Ou faz um canal do YouTube. Sabemos que a gente abusa dessa piada...

Toda vez que você fracassar, só pense que não tem jeito mais fácil de fazer parte das estatísticas. Você é 100%, e não tem como escapar. Inclusive, todo mundo que consegue fazer alguma coisa simplesmente viu aquilo dar errado em diversas fases e não desistiu. Qualquer um que já tentou conversar com um gerente de banco sabe do que estamos falando. A Samara não estava no fundo do poço sem dormir presa? Ela saiu, porque ouviu o chamado. E depois ficou ligando pras pessoas por sete dias seguidos até ninguém aguentar mais e achar melhor se matar. Assim, nasceu a primeira representante da Herbalife. Do fracasso. #gratidao #7dias #paramudaravida

FAÇA UMA IMERSÃO DE #TERRAPLANA

Para você ter uma noção de como a coisa está saindo do controle, Terra plana é algo efetivamente estudado agora. Tem documentário. Tem grupo de pessoas que debatem sobre o tema. Tem gente que faz todo tipo de teste e não dá certo, e mesmo assim continua falando que a Terra é plana. Dia desses, veio um maluco abordar a gente pra fazer um vídeo sobre Terra plana no canal e a gente só conseguiu responder que na verdade a Terra tem formato de c*.

SIM, VOCÊ LEU ISSO AÍ MESMO.

Levamos bronca do editor, então não podemos escrever mais o formato REAL da Terra. Censura. Querem calar a verdade, porque a verdade vai libertar as pessoas. Vamos dizer, então, que a Terra é um furico. É redonda, mas nem tanto para ser uma bolinha. Você tem alto-relevo, baixo-relevo, e pode ir adentrando camadas que ficam cada vez mais quentes e assustadoras.

Se espremer o centro da Terra, você tem uma erupção de vulcões, que se parece muito com o que acontece com você depois de comer frango com curry. Pega a visão.

Se a Terra plana for um assunto batido, invente alguma teoria e espalhe pelo WhatsApp. Funciona, ninguém vai procurar saber se é verdade ou mentira mesmo. "O Sol realmente é quente?" "Esperma faz bem pra saúde?" "Café te torna inteligente?" Agora você tá se perguntando sobre isso, né? Viu? Funcionou. Na dúvida, ressuscite algo antigo que era hype, tipo tomar urina e se alimentar do Sol. Ai, bons tempos!

Coachings que sempre existiram, mas a gente chamava de outra coisa

- Coach de cocô – Propaganda do Activia.
- Coach de criança – Supernanny.
- Coach da preguiça – Maconheiro.
- Coach de sexo – Amigos piriguetes.
- Coach profissional – Seu tio no churrasco ("Já pensou em prestar concurso?").
- Coach financeiro – Seus pais ("Eu não sou sócia da companhia de luz").
- Coach fitness – O professor de Educação Física que praticava bullying em absolutamente todos os alunos.
- Coach de relacionamento – Amigo gay.
- Coach de moda – Amigo gay.
- Coach de pet – Amigo gay.
- Coach motivacional – Seus boletos.

A gente ama odiar a segunda-feira, e os coaches amam amar a segunda. Quanto maior a preguiça, maior a pobreza. Todo mundo agora é freela e sabe do que estamos falando. Cada hora que você gasta dormindo é uma hora a menos para entregar aquele job e finalmente emitir a nota que vai pagar suas contas. Pensa que é quem para dormir e comer em vez de trabalhar? Você pode otimizar seu dia com quatro horas dormindo, vinte e três horas trabalhando e transar só se merecer, 15 minutos (a gente sabe que não dura mais que isso).

Preguiça — **Você**

Pobre

Esquema de sucesso

Esquema de sucesso e uma bola fora: "você"

O sucesso

disciplina

comprometimento   você

missão

INSPIRA
    RESPIRA
        CONSPIRA
            CAIPIRA
                TRANSPIRA
                    CURUPIRA

COMO FAZER SEU PRIMEIRO MILHÃO JUNTANDO SEU VR

Quando acabar o mundo, só vai sobrar barata e coach financeiro. Porque pra ter a cara de pau de mandar quem ganha um salário mínimo guardar 30% é não ter medo de morrer mesmo. A pior espécie de coach, que manda anotar cada centavo que gasta. É fácil falar quando tem dinheiro. Pra começo de conversa, se anotar tudo o que faz nem sobra tempo pra viver; na verdade, é coaching pra ser escrivão. A maioria dos coaches financeiros ou é rica ou desistiu de um emprego no banco (que os deixava ricos com um único bônus anual). Pobre menina triste do mercado financeiro, porque ganhar 800 reais, não sobrar absolutamente nada nem pra uma cerveja e depois ainda escutar lição de moral de gente rica é superalegre mesmo. É cheio de propósito.

Coach financeiro é um intrometido que, além de tudo, quer te convencer de que você não merece ter uma vida confortável (quando, na verdade, ele só quer like e visualização para ganhar dinheiro). Vai tomar a casquinha no shopping no final de semana? NÃO! Comprar uma *brusinha* que finalmente tá na promoção? NÃO! Comprar um chocolatinho no trem porque deu aquela vontade? NÃO!

Marca registrada de coach financeiro é inventar termos. Inventa a técnica da savannah do leão místico que vai rugir para o caixa eletrônico. ESQUECE O LEÃO. Você não é porra de bicho nenhum, o único problema é estar dando ouvidos para um asno (com todo respeito ao bicho, não ao coach)! Nossa dica é guardar todo o seu VR desde sempre até conseguir juntar 1 milhão. Você só precisa comer porque não tem o *mindset* certo.

Além disso, o Simba deveria ser a leoa. Reflita.

O HORÓSCOPO DO F*DA-SE

O que cada signo pode fazer para mandar o F*da-se deste ano?

ÁRIES
Você é o coach do f*da-se encarnado.

TOURO
Come mesmo, dorme mesmo, deixa o sucesso para amanhã.

GÊMEOS
Deus tá vendo seus 7 boys e 4 aplicativos de relacionamento funcionando tudo ao mesmo tempo.

CÂNCER
Não, você não vai casar com todo mundo que te dá bom-dia ao longo do dia.

LEÃO
Aceita que você é biscoiteira e que provavelmente está tirando uma *selfie* enquanto lê este livro.

VIRGEM
Sua vingança será publicar aquela planilha do Excel que você fez rankeando todo mundo com quem já dormiu.

LIBRA
Não tem problema ser indeciso, mas, pelo amor de Deus, escolhe logo o que comer. Seus amigos não aguentam mais esperar.

ESCORPIÃO
Transforme suas habilidades de stalkeamento em negócio. Fica rica e salva amiga de embuste.

SAGITÁRIO
Pelo menos come uma salada pra filtrar as drogas, amor.

CAPRICÓRNIO
Aluga seu coração pra um frigorífico, mana. Duas coisas de que você gosta: ganhar dinheiro e ser a princesa de *Frozen*.

AQUÁRIO
Escolhe duas coisas por semana para ser contra e já tá bom.

PEIXES
Enquanto você fica aí viajando na maionese, alguém roubou sua marmita. Acorda!

VODKAHEALING

Existe uma técnica a qual não vamos dar nome para evitar o processinho, mas que jura que consegue curar até câncer só com mentalização. Ficamos aqui pensando: *Se isso for tão bom mesmo, por que o mundo não está curado?* Se você consegue até curar um câncer, por que apenas uma pessoa ou um grupo de pessoas pode usar esse recurso?

Decidimos que era possível sim. Nós acreditamos. Vai na fé. E trouxemos para você um método que cura TUDO.

Calma, não é dinheiro.

Estudamos a cura coach que jura que reprograma as ondas dos átomos do seu corpo. Não vamos dizer que estudamos muito, porque se a gente estudasse muito não seria youtuber. Mas bebemos muito e entendemos a revolucionária VODKAHEALING.

Funciona assim: a cada dose, você reprograma sua visão de mundo. Aquele ex desconfigurado começa a parecer uma transa viável e você passa a achar que tá rica. Melhor que qualquer coaching, a VodkaHealing muda a vida de pessoas em todo o mundo há centenas de anos.

Existe gente que alega fazer crescer perna nos outros. Vodkahealing faz crescer qualquer órgão que você imaginar enquanto está em tratamento. Inclusive, aumenta muito a energia. Você chega no rolê cansada e, depois de quatro doses, apaga. Quando menos espera está na praia, sem sapato, cheia de hematomas esquisitos pelo corpo e sem saber como chegou ali. Ou em casa, abraçada no lixo do banheiro enquanto o cachorro investiga pra ver se não tá morta. É a transformação que vem de dentro para fora e muda a sua vida. Marque uma sessão.

Existem outras técnicas, como a CachaçaHealing, a CatuabaHealing e até a FumaçaHealing, mas acho que esta última não é permitida em todos os lugares e ninguém aqui quer ser um coach carcerário, né?

Melhor que qualquer coaching, a VodkaHealing muda a vida de pessoas em todo o mundo há centenas de anos.

O QUE VOCÊ VAI POSTAR HOJE PARA GANHAR BISCOITO?

A gente quer mesmo é que você tire deste livro cada centavo que pagou. Separamos aqui as melhores frases para você dar aquela cutucada no crush, fazer aquele draminha ou simplesmente pedir o biscoito nosso de cada dia. Podem nos chamar de coach do biscoito!

Mas não se preocupe, não vamos apelar e mandar você ficar peladona na timeline. Nada contra, inclusive, mas é que a modernidade deixou isso obsoleto (exceto se você for o Henry Cavill). No tempo em que vivemos, frase bíblica ou da Clarice Lispector não rende mais, então precisamos inovar e seguir essa linha motivacional e inspiradora dos coaches, mesmo que *selfie* seja da sua bunda e mesmo que você não seja inspiração pra ninguém. Quem tá na merda talvez até se sinta inspirado ao ver a sua traseira com a frase: "Saia do buraco, mesmo que seja apertado".

Vivendo de internet a gente comprovou que quanto mais óbvia for a frase que irá ilustrar sua *selfie* no elevador, mais sucesso ela faz.

Frases que são tão óbvias que dão cambalhota e que não fazem sentido:

"A luta faz você ser forte."
"Caminha e o caminho abre."
"ReclAMAR termina com AMAR, porque tudo nesta vida podemos transformar."
"Não desistir é o primeiro passo."
"Tudo serve de aprendizado."
"Os navios não afundam por conta da água fora deles, mas pela água dentro deles. Então, não se afete pelo exterior."[1]
"Para alcançar o possível, tente o impossível."
"Amar é sempre por amor."
"Olhe para a tempestade sabendo que depois virá o sol."
"Quem te fere uma vez pode ferir de novo."
"Ouça seu coração. Ele está batendo."
"Mirar no gol não é o suficiente para acertar. Você precisa chutar."
"Seja qual for o seu sonho, comece."
"A linha é o que divide o palco dos bastidores."
"Jacaré no seco anda." (Ahh, te pegamos!)

---

[1] Claro, se o navio não estiver cercado de água, ele não vai afundar. Nem navegar.

Momento de sabedoria

Não sabia que era impossível, foi lá e se ferrou.

O TUBARÃO INVESTIDOR

Mais do que um simples investidor, uma pessoa que tem aquela poupancinha honesta, que consegue guardar 10% do salário, você precisa ser um personagem do reino animal que entende de Tesouro Direto e acorda às 5 da manhã pra saudar o sol tomando suco verde. O tubarão vegano. O porquê do nome? Porque não tem sentido, assim como tudo neste livro, mas pode ser outro bicho também, tá? Macaco do investimento, elefante das finanças, cachorro dos juros, jabuti dos investimentos etc.

A gente mal consegue calcular o troco e o coach mandando calcular a porcentagem do CDI, do IOF, do PNC (pau no c*). É tanta sigla que a gente nem sabe o que fazer. Tanto cálculo, que só não são piores que o renais. É como viver o ENEM eternamente calculando juros simples e compostos até queimar no inferno da soja.

E precisa ficar investindo. Deu um passo, investiu em centímetros.

Investe em conhecimento.
Investe na Bolsa.
Investe no boy.
Investe na marmita de amanhã.
Investe em ver Netflix.

Onde você tá investindo seu dinheiro? Seu tempo?

A gente SINCERAMENTE tá investindo em boleto. Um, 2, 3, 10 boletos por mês que não acaba mais.

E tudo tem que ter propósito para valer a pena o nado do tubarão da capitalização Pic.

Além de investir. Todo investimento tem propósito.

Qual é o seu propósito com o investimento em boletos? Não ficar sem casa e sem comida, amore. Foca na realidade, o resto f*da-se.

Foca na realidade, o resto f*da-se.

GRATITOP

Gratidão virou tradução para "queria mesmo era mandar se f*der".

REPARE BEM.

Fazem a pressão para que você agradeça o tempo todo, e isso supostamente vai curar a depressão e a angústia de viver em um mundo que, pelo que tudo indica, já entrou na fase de Apocalipse. O cachorro da vizinha deixou cocô na porta da sua casa? Agradeça. Você precisa pegar ônibus lotado todo dia às 6 horas? Agradeça. Perdemos a Amazônia? Agradeça. Agora, troque por "vai se f*der". Combina mais, né?

É difícil ser vibes com um chefe te escrotizando o tempo todo. É difícil ser vibes quando, entre trabalhar e estudar, você percebe que nunca viu a rua da sua casa sob a luz do dia. Todo contato com a natureza que o jovem da cidade tem é ver foto pelado do influencer vibes no meio das plantas no apartamento. Porque pet ficou difícil demais de cuidar e a galera está glamourizando as plantas. Planta agora é tudo. Tem até pai de planta, sabia? Gato e cachorro faz cocô e isso estraga as vibes. E o influencer, que vive cercado de samambaia mandando você agradecer por ter a chance de presenciar a vida simples que ele vive. Tudo é muito simples até a página dois, porque todos os eletrônicos são caríssimos e A GENTE TÁ VENDO

ESSE MACBOOK AÍ no seu *stories*. Ainda falam que você precisa fazer o exercício de ficar sem reclamar durante 24 horas. Só dá para não reclamar se você convive apenas com as suas plantas mesmo.

A gratidão criou os influencer vibes que estão em todos os meios, em todas as idades. Até sua tia do zap tem ataque de influencer vibes. Quando a tia te manda aquela arte tosca com um amanhecer, uma estrelinha dando boa-noite ou uma menina de camisola acariciando um leão (?) você já sabe: está sofrendo um ataque gratitop. Ela está compartilhando conteúdo do coach quântico, que, já consciente de que está ofendendo psicólogos e físicos, resolve que em vez de xingar mais gente vai apenas desejar gra... ti... dão. (Vai se f*der!)

Gratidão virou tradução para "queria mesmo era mandar se f*der."

O MEGAZORD DA FAMÍLIA TRADICIONAL BRASILEIRA

A gente tá vivendo a modernidade, certo? Os relacionamentos estão sendo revistos, as pessoas questionam a ideia de monogamia, de maternidade compulsória, de relacionamento padrão... até uma famosa assumir relacionamento. Tudo começa com uma viagem para a Disney para o casal conseguir o máximo de fotos para seu anúncio. O relacionamento se constrói polêmica após polêmica, até ser coroado com um anúncio de noivado no Instagram. As noivas viram virgens de novo e só conseguem pensar em parede de flores que a Kelly do RH depois vai copiar. Aí, minha filha, seria mais próprio dizer que estamos vivendo nos anos 1940. A sua avó não fez tanta frescura para casar como as pessoas estão fazendo agora. O casamento virou um monstro e obviamente foi absorvido pelo coaching e pelos influencers.

A gente não consegue ter ideia do que faz um coach de casamento, mas influencer, essa raça conhecemos bem. Toda influencer, quando começa a ficar sem pauta, faz o seguinte: abraça uma causa social (ou vira vegana), começa a perguntar pauta pros seguidores e, por fim... se casa. Planeja uma festa imensa, tudo com permuta, óbvio, e antes dessa festa ainda rolam pelo menos 125 pré-festas. Despedida de solteira, chá de lingerie, chá solidário...

Logo em seguida, tem a pauta da lua de mel, claro. E isso dura pouco. O casamento no dia a dia vai trazer algum assunto até chegarmos ao Everest da cultura millenial[1] velha: BEBÊS. A maternidade na internet já começou a virar história de horror. Influencers cansados ou precisando de uma coisa nova viram influencers com filhos. Começam a postar incessantemente sobre gravidez, criação, parenting, cama compartilhada, se a papinha do bebê deve ser cortada, amassada ou batida (mentira, batida nunca). Isso ainda tá ok, pode ajudar alguém. Chá de fralda, chá de berço e o infame... chá revelação. A criança nem existe e já é cafona, consumindo bolo com corante na barriga da mãe. Cadê aquele papo de "ser grato" pelo simples fato de o bebê estar bem? #Militei

Já tem quarto temático cheio de coisa de que você, que ainda não conhece a personalidade do seu filho, não sabe se ele vai gostar. A gente imagina nossas mães fazendo chá revelação e usando isso para depois planejar um quarto temático de futebol ou super-herói. HAHAHAHA. E os relatos de inseminação? As festas que expõem arranjos feitos com as seringas usadas pela mãe no tratamento? As festas com os palitos de exame de gravidez que a mãe fez. Gente, isso é um risco sanitário, é quase ser antivax![2] Imagina contar, nos anos 1990, que você tá fazendo uma festa cuja decoração é seringa usada e teste mijado? Na mesma hora, o Proerd já ia invadir o salão pra fazer uma intervenção antidrogas. Por outro lado, se for pensar, inseminação é muito caro e é um assunto que precisa ser tratado como um investimento que tem que ser ostentado, e valer cada centavo para além da criança, que só vai gerar mais dívidas.

---

1   Geração de pessoas que só conseguem namorar usando celular.
2   Pessoa que percebe que, na verdade, odeia os filhos e quer que eles sejam eliminados por pragas biológicas.

As influencers criaram a cultura do excesso de frescura com ter bebê. Se ainda fosse frescura relacionada ao cuidado, ao amor, à conexão dos pais com os filhos, a gente jamais xoxaria[3]. Mas chá de concepção, a mais nova moda, tem alguma coisa a ver com amar o filho? Tem assessoria que já oferece. Você faz uma festa para rolar enquanto o casal vai para um quarto separado fazer um bebê. Igualzinho ao que faziam as princesas na Idade Média. Daqui a pouco vão ter convidados VIPs para assistir à concepção da criança. Depois dos *terrible two*, a criança começa a crescer, fica meio esquisita, faz birra, a mãe passa mais vergonha do que ostentação e chega a hora de... fazer outra.

---

[3] A gente aproveita este capítulo para mandar um beijo para as nossas mães, porque youtuber também tem mãe.

O SUCESSO É FEITO DE NÚMEROS

Estávamos aqui fazendo nosso skin care e pesquisando o que anda rolando por aí para escrever este livro, quando trombamos com um negócio muito louco. Sério, mesmo para quem já falou tudo o que você leu até aqui.

Códigos de Grabovoi. Já ouviu falar deles? Claro que não, você tem mais o que fazer. Mas a gente não tem. Grabovoi foi um russo que jura que existem números que você pode escrever em qualquer lugar, guardar na geladeira, pôr na testa para ativar a fortuna, encontrar um amor, para ativar a fortuna. Você dá o salto quântico pela matemática, porque todo mundo sabe que gente de Humanas vai ser pobre pra sempre.

Os números de Grabovoi, segundo ele, podem explicar até o sentido da vida. Ele fez até um código para a sustentabilidade ambiental, pra você escrever com canudinho na areia da praia.

Nossa dica é fazer como qualquer blogueira e comprar os seguidores do seu número de Grabovoi preferido. Por que choras, Código da Vinci?

Pra mim, esse código só resolveria se fossem os números da Mega Sena.

Frase de poder: Eu declaro ao Universo, com o decreto poderoso da fonte criadora, que a partir de agora FODA-SE.

UM
FODA-SE
FINAL

Mais fácil do que virar coach só zoar coach mesmo. Trabalho zero. Eles já deixam tudo pronto. A gente foi muito feliz escrevendo este livro. Mas sabe que o ponto na real nem era esse? O que a gente queria era fazer as pessoas darem risada num momento tão pesado para todo mundo. A gente queria que você desligasse o celular para ler um livro, porque nas redes hoje todo mundo está se sentindo um lixo por não ter vencido na vida como a blogueira que se maquia sem parar de falar. E foi isso que aconteceu. Agora desliga o celular e vai andar sozinho na rua sem fone de ouvido. Vai entender que tá todo mundo tão cagado quanto você e cheirar dinheiro dá rinite, realinhar seu DNA só serve se garantir o selinho que troca por pirex no supermercado.

Acreditamos hoje que o futuro da humanidade vai ser trabalhar com coaching gourmet, a coucheria. Ou Cocheira. Assim, como era no início agora será no final, graças a Deus a gente morre pra não ter que presenciar tudo que acontece.

E estaremos aqui, para zoar tudo, porque sem a gente o que seria do mundo? (tudo igual)

Deixamos você agora com uma mensagem final: é errando que se aprende a fazer besteira. Tente outra vez e descubra como você pode fazer diferente e errar igual. Não leve este livro tão a sério, como você não deve se levar tão a sério também!

**Acreditamos
nos livros**

Este livro foi composto em Chronicle, Knockout e Druk. e impresso pela Gráfica Santa Marta para a Editora Planeta do Brasil em outubro de 2020.